#연산반복학습
#생활속계산
#문장읽고계산식세우기
#학원에서검증된문제집

수학리더
연산

Chunjae
Makes
Chunjae

▼

기획총괄	박금옥
편집개발	지유경, 정소현, 조선영, 최윤석
디자인총괄	김희정
표지디자인	윤순미, 박민정
내지디자인	박희춘
제작	황성진, 조규영

발행일	2022년 4월 15일 초판 2023년 4월 1일 2쇄
발행인	(주)천재교육
주소	서울시 금천구 가산로9길 54
신고번호	제2001-000018호
고객센터	1577-0902
교재 구입 문의	1522-5566

수학 리더 연산 6-B

차례

이 책의 구성과 특징

| 이번에 배울 내용을 알아볼까요?

공부할 내용을 만화로 재미있게 확인할 수 있습니다.

기초 계산 연습

계산 원리와 방법을 한눈에
익힐 수 있고 계산 반복 훈련으로
확실하게 익힐 수 있습니다.

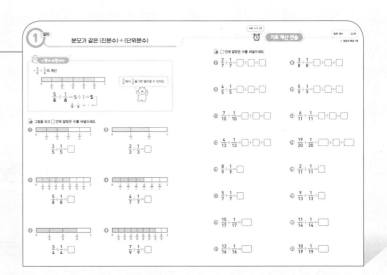

플러스 계산 연습

다양한 형태의 계산 문제를 반복하여
완벽하게 익힐 수 있습니다.

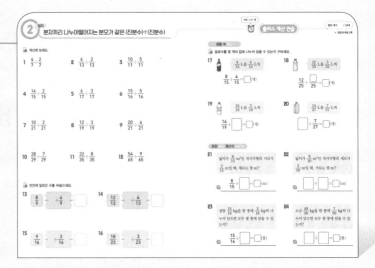

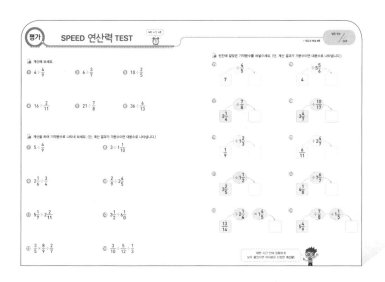

평가 SPEED 연산력 TEST

배운 내용을 테스트로 마무리 할 수 있습니다.

특강 문장제 문제 도전하기

단순 연산 문제와 함께 문장제 문제도 연습할 수 있습니다.

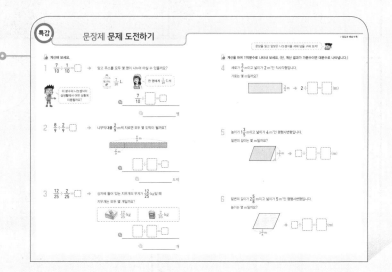

특강 창의·융합·코딩·도전하기

요즘 수학 문제인 창의·융합·코딩 문제를 수록하였습니다.

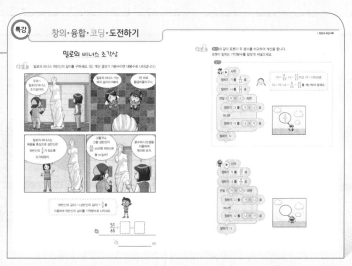

① 분수의 나눗셈

 실생활에서 알아보는 재미있는 수학 이야기

은율아, 이번에 새로 나온 게임이…….

빠직

박호범! 같이 숙제하자며 왜 계속 게임이야기만 하는 거야.

아하하~ 그… 그랬지.

게임 이야기는 그만 하고 빨리 숙제하자.

아… 숙제하기 싫다~.

우르르

앗! 이건?

빠에로 GAME

이게 뭐지?

게임 CD 같은데?

이거 네 거야?

아닌데~

우리 이게 뭔지 확인해 보자.

설마?

너 지금 게임하려고?

뭔지 확인만 해 보려고~.

아냐~

이번에 배울 내용을 알아볼까요?

분모가 같은 (진분수)÷(단위분수)

• $\dfrac{5}{6} \div \dfrac{1}{6}$의 계산

	$\frac{1}{6}$	$\frac{2}{6}$	$\frac{3}{6}$	$\frac{4}{6}$	$\frac{5}{6}$	
0						1

$$\dfrac{5}{6} \div \dfrac{1}{6} = 5 \div 1 = 5$$

$\dfrac{\blacktriangle}{\blacksquare} \div \dfrac{1}{\blacksquare} = \blacktriangle \div 1 = \blacktriangle$

$\dfrac{5}{6}$에서 $\dfrac{1}{6}$을 5번 덜어낼 수 있어요.

분수의 나눗셈

그림을 보고 ☐ 안에 알맞은 수를 써넣으세요.

1

0	$\frac{1}{5}$	$\frac{2}{5}$	$\frac{3}{5}$	$\frac{4}{5}$	1

$$\dfrac{3}{5} \div \dfrac{1}{5} = \boxed{}$$

2

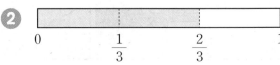

0	$\frac{1}{3}$	$\frac{2}{3}$	1

$$\dfrac{2}{3} \div \dfrac{1}{3} = \boxed{}$$

3

0	$\frac{1}{8}$	$\frac{2}{8}$	$\frac{3}{8}$	$\frac{4}{8}$	$\frac{5}{8}$	$\frac{6}{8}$	$\frac{7}{8}$	1

$$\dfrac{5}{8} \div \dfrac{1}{8} = \boxed{}$$

4

0	$\frac{1}{7}$	$\frac{2}{7}$	$\frac{3}{7}$	$\frac{4}{7}$	$\frac{5}{7}$	$\frac{6}{7}$	1

$$\dfrac{4}{7} \div \dfrac{1}{7} = \boxed{}$$

5

0	$\frac{1}{4}$	$\frac{2}{4}$	$\frac{3}{4}$	1

$$\dfrac{3}{4} \div \dfrac{1}{4} = \boxed{}$$

6

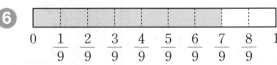

0	$\frac{1}{9}$	$\frac{2}{9}$	$\frac{3}{9}$	$\frac{4}{9}$	$\frac{5}{9}$	$\frac{6}{9}$	$\frac{7}{9}$	$\frac{8}{9}$	1

$$\dfrac{7}{9} \div \dfrac{1}{9} = \boxed{}$$

기초 계산 연습

 □ 안에 알맞은 수를 써넣으세요.

⑦ $\dfrac{2}{7} \div \dfrac{1}{7} = \boxed{} \div \boxed{} = \boxed{}$

⑧ $\dfrac{3}{8} \div \dfrac{1}{8} = \boxed{} \div \boxed{} = \boxed{}$

⑨ $\dfrac{4}{5} \div \dfrac{1}{5} = \boxed{} \div \boxed{} = \boxed{}$

⑩ $\dfrac{5}{9} \div \dfrac{1}{9} = \boxed{} \div \boxed{} = \boxed{}$

⑪ $\dfrac{7}{10} \div \dfrac{1}{10} = \boxed{} \div \boxed{} = \boxed{}$

⑫ $\dfrac{6}{11} \div \dfrac{1}{11} = \boxed{} \div \boxed{} = \boxed{}$

⑬ $\dfrac{4}{13} \div \dfrac{1}{13} = \boxed{} \div \boxed{} = \boxed{}$

⑭ $\dfrac{19}{20} \div \dfrac{1}{20} = \boxed{} \div \boxed{} = \boxed{}$

⑮ $\dfrac{8}{9} \div \dfrac{1}{9} = \boxed{}$

⑯ $\dfrac{2}{11} \div \dfrac{1}{11} = \boxed{}$

⑰ $\dfrac{5}{7} \div \dfrac{1}{7} = \boxed{}$

⑱ $\dfrac{9}{13} \div \dfrac{1}{13} = \boxed{}$

⑲ $\dfrac{15}{17} \div \dfrac{1}{17} = \boxed{}$

⑳ $\dfrac{11}{14} \div \dfrac{1}{14} = \boxed{}$

㉑ $\dfrac{13}{16} \div \dfrac{1}{16} = \boxed{}$

㉒ $\dfrac{10}{19} \div \dfrac{1}{19} = \boxed{}$

분모가 같은 (진분수) ÷ (단위분수)

🐻 계산해 보세요.

1 $\dfrac{2}{5} \div \dfrac{1}{5}$

2 $\dfrac{3}{7} \div \dfrac{1}{7}$

3 $\dfrac{7}{8} \div \dfrac{1}{8}$

4 $\dfrac{4}{9} \div \dfrac{1}{9}$

5 $\dfrac{9}{10} \div \dfrac{1}{10}$

6 $\dfrac{5}{12} \div \dfrac{1}{12}$

7 $\dfrac{10}{13} \div \dfrac{1}{13}$

8 $\dfrac{8}{15} \div \dfrac{1}{15}$

9 $\dfrac{17}{21} \div \dfrac{1}{21}$

10 $\dfrac{2}{17} \div \dfrac{1}{17}$

11 $\dfrac{6}{19} \div \dfrac{1}{19}$

12 $\dfrac{13}{20} \div \dfrac{1}{20}$

🐻 빈칸에 알맞은 수를 써넣으세요.

13
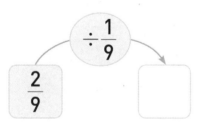

14
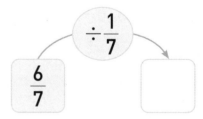

15
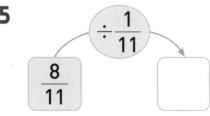

16
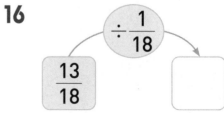

플러스 계산 연습

빈칸에 알맞은 수를 써넣으세요.

17 ÷ →

$\dfrac{3}{4}$	$\dfrac{1}{4}$	
$\dfrac{3}{14}$	$\dfrac{1}{14}$	

18 ÷ →

$\dfrac{5}{6}$	$\dfrac{1}{6}$	
$\dfrac{5}{11}$	$\dfrac{1}{11}$	

19 ÷ →

$\dfrac{9}{17}$	$\dfrac{1}{17}$	
$\dfrac{16}{17}$	$\dfrac{1}{17}$	

20 ÷ →

$\dfrac{4}{25}$	$\dfrac{1}{25}$	
$\dfrac{22}{25}$	$\dfrac{1}{25}$	

문장 읽고 계산식 세우기

21 주스 $\dfrac{4}{5}$ L를 한 컵에 $\dfrac{1}{5}$ L씩 나누어 따르면 모두 몇 컵에 따를 수 있는지?

식 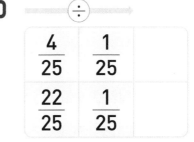 $\dfrac{4}{5} \div \boxed{} = \boxed{}$(컵)

22 주스 $\dfrac{3}{10}$ L를 한 컵에 $\dfrac{1}{10}$ L씩 나누어 따르면 모두 몇 컵에 따를 수 있는지?

식   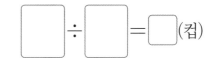 $\boxed{} \div \boxed{} = \boxed{}$(컵)

23 콩 $\dfrac{7}{12}$ kg을 한 통에 $\dfrac{1}{12}$ kg씩 나누어 담으면 모두 몇 통에 담을 수 있는지?

식 $\dfrac{7}{12} \div \boxed{} = \boxed{}$(통)

24 콩 $\dfrac{11}{20}$ kg을 한 통에 $\dfrac{1}{20}$ kg씩 나누어 담으면 모두 몇 통에 담을 수 있는지?

식    $\boxed{} \div \boxed{} = \boxed{}$(통)

1

분수의 나눗셈

9

분자끼리 나누어떨어지는 분모가 같은 (진분수)÷(진분수)

이렇게 해결하자

· $\dfrac{6}{7} \div \dfrac{2}{7}$의 계산

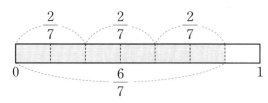

$\dfrac{6}{7}$은 $\dfrac{1}{7}$이 6개, $\dfrac{2}{7}$는 $\dfrac{1}{7}$이 2개이므로 $\dfrac{6}{7} \div \dfrac{2}{7}$는 6을 2로 나누는 것과 같아요.

$$\dfrac{6}{7} \div \dfrac{2}{7} = 6 \div 2 = 3$$

$$\dfrac{\blacktriangle}{\blacksquare} \div \dfrac{\bullet}{\blacksquare} = \blacktriangle \div \bullet$$

그림을 보고 ◯ 안에 알맞은 수를 써넣으세요.

1
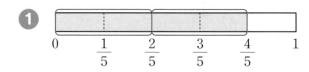

$$\dfrac{4}{5} \div \dfrac{2}{5} = \boxed{}$$

2
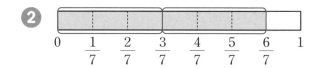

$$\dfrac{6}{7} \div \dfrac{3}{7} = \boxed{}$$

3
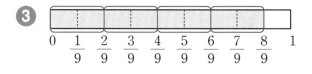

$$\dfrac{8}{9} \div \dfrac{2}{9} = \boxed{}$$

4
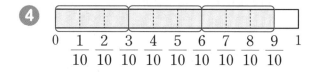

$$\dfrac{9}{10} \div \dfrac{3}{10} = \boxed{}$$

5
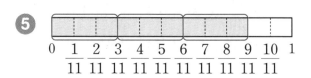

$$\dfrac{9}{11} \div \dfrac{3}{11} = \boxed{}$$

6
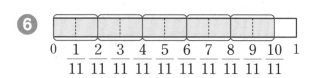

$$\dfrac{10}{11} \div \dfrac{2}{11} = \boxed{}$$

 □ 안에 알맞은 수를 써넣으세요.

⑦ $\dfrac{4}{9} \div \dfrac{2}{9} = \boxed{} \div \boxed{} = \boxed{}$

⑧ $\dfrac{6}{11} \div \dfrac{2}{11} = \boxed{} \div \boxed{} = \boxed{}$

⑨ $\dfrac{8}{13} \div \dfrac{4}{13} = \boxed{} \div \boxed{} = \boxed{}$

⑩ $\dfrac{9}{14} \div \dfrac{3}{14} = \boxed{} \div \boxed{} = \boxed{}$

⑪ $\dfrac{15}{17} \div \dfrac{5}{17} = \boxed{} \div \boxed{} = \boxed{}$

⑫ $\dfrac{18}{19} \div \dfrac{6}{19} = \boxed{} \div \boxed{} = \boxed{}$

⑬ $\dfrac{24}{25} \div \dfrac{8}{25} = \boxed{} \div \boxed{} = \boxed{}$

⑭ $\dfrac{45}{52} \div \dfrac{9}{52} = \boxed{} \div \boxed{} = \boxed{}$

⑮ $\dfrac{8}{11} \div \dfrac{2}{11} = \boxed{}$

⑯ $\dfrac{9}{13} \div \dfrac{3}{13} = \boxed{}$

⑰ $\dfrac{16}{19} \div \dfrac{4}{19} = \boxed{}$

⑱ $\dfrac{10}{17} \div \dfrac{2}{17} = \boxed{}$

⑲ $\dfrac{14}{15} \div \dfrac{7}{15} = \boxed{}$

⑳ $\dfrac{16}{21} \div \dfrac{8}{21} = \boxed{}$

㉑ $\dfrac{20}{23} \div \dfrac{5}{23} = \boxed{}$

㉒ $\dfrac{21}{25} \div \dfrac{7}{25} = \boxed{}$

분자끼리 나누어떨어지는 분모가 같은 (진분수)÷(진분수)

🐻 계산해 보세요.

1 $\frac{4}{7} \div \frac{2}{7}$

2 $\frac{6}{13} \div \frac{2}{13}$

3 $\frac{10}{11} \div \frac{5}{11}$

4 $\frac{14}{15} \div \frac{2}{15}$

5 $\frac{6}{17} \div \frac{3}{17}$

6 $\frac{15}{16} \div \frac{5}{16}$

7 $\frac{10}{21} \div \frac{2}{21}$

8 $\frac{12}{19} \div \frac{3}{19}$

9 $\frac{20}{21} \div \frac{4}{21}$

10 $\frac{28}{29} \div \frac{7}{29}$

11 $\frac{32}{35} \div \frac{8}{35}$

12 $\frac{54}{65} \div \frac{9}{65}$

🐻 빈칸에 알맞은 수를 써넣으세요.

13 $\boxed{\frac{8}{9}}$ ➡ $\boxed{\div \frac{4}{9}}$ ➡ $\boxed{}$

14 $\boxed{\frac{12}{13}}$ ➡ $\boxed{\div \frac{4}{13}}$ ➡ $\boxed{}$

15 $\boxed{\frac{9}{16}}$ ➡ $\boxed{\div \frac{3}{16}}$ ➡ $\boxed{}$

16 $\boxed{\frac{18}{23}}$ ➡ $\boxed{\div \frac{3}{23}}$ ➡ $\boxed{}$

플러스 계산 연습

생활 속 **계산**

 음료수를 몇 개의 컵에 나누어 담을 수 있는지 구하세요.

17 $\dfrac{8}{15}$ L를 $\dfrac{4}{15}$ L씩

$$\dfrac{8}{15} \div \dfrac{4}{15} = \boxed{} \text{(개)}$$

18 $\dfrac{12}{25}$ L를 $\dfrac{3}{25}$ L씩

$$\dfrac{12}{25} \div \dfrac{\boxed{}}{25} = \boxed{} \text{(개)}$$

19 $\dfrac{16}{19}$ L를 $\dfrac{2}{19}$ L씩

$$\dfrac{16}{19} \div \boxed{} = \boxed{} \text{(개)}$$

20 $\dfrac{14}{27}$ L를 $\dfrac{7}{27}$ L씩

$$\boxed{} \div \dfrac{7}{27} = \boxed{} \text{(개)}$$

문장 **읽고** 계산식 **세우기**

21
넓이가 $\dfrac{8}{15}$ m²인 직사각형의 가로가 $\dfrac{2}{15}$ m일 때, 세로는 몇 m?

식 $\dfrac{8}{15} \div \boxed{} = \boxed{} \text{(m)}$

22
넓이가 $\dfrac{9}{20}$ m²인 직사각형의 세로가 $\dfrac{3}{20}$ m일 때, 가로는 몇 m?

식 $\boxed{} \div \boxed{} = \boxed{} \text{(m)}$

23
설탕 $\dfrac{15}{16}$ kg을 한 통에 $\dfrac{3}{16}$ kg씩 나누어 담으면 모두 몇 통에 담을 수 있는지?

식 $\dfrac{15}{16} \div \boxed{} = \boxed{} \text{(통)}$

24
소금 $\dfrac{49}{50}$ kg을 한 통에 $\dfrac{7}{50}$ kg씩 나누어 담으면 모두 몇 통에 담을 수 있는지?

식 $\boxed{} \div \boxed{} = \boxed{} \text{(통)}$

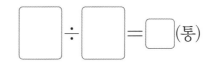

3 일차 분자끼리 나누어떨어지지 않는 분모가 같은 (진분수)÷(진분수) (1)

이렇게 해결하자

- $\frac{2}{7} \div \frac{3}{7}$의 계산 — 몫이 1보다 작은 경우

$$\frac{2}{7} \div \frac{3}{7} = 2 \div 3 = \frac{2}{3}$$

$$\frac{\bullet}{\blacktriangle} \div \frac{\blacksquare}{\blacktriangle} = \bullet \div \blacksquare = \frac{\bullet}{\blacksquare}$$

분자끼리 나누어떨어지지 않을 때에는 몫을 분수로 나타내요.

□ 안에 알맞은 수를 써넣으세요.

① $\frac{4}{9} \div \frac{5}{9} = 4 \div \boxed{} = \frac{4}{\boxed{}}$

② $\frac{1}{4} \div \frac{3}{4} = \boxed{} \div 3 = \frac{\boxed{}}{3}$

③ $\frac{5}{8} \div \frac{7}{8} = 5 \div \boxed{} = \frac{5}{\boxed{}}$

④ $\frac{3}{10} \div \frac{7}{10} = \boxed{} \div 7 = \frac{\boxed{}}{7}$

⑤ $\frac{1}{12} \div \frac{5}{12} = 1 \div 5 = \frac{\boxed{}}{\boxed{}}$

⑥ $\frac{3}{7} \div \frac{5}{7} = \boxed{} \div 5 = \frac{\boxed{}}{\boxed{}}$

⑦ $\frac{5}{14} \div \frac{9}{14} = \boxed{} \div \boxed{} = \frac{\boxed{}}{\boxed{}}$

⑧ $\frac{9}{20} \div \frac{13}{20} = \boxed{} \div \boxed{} = \frac{\boxed{}}{\boxed{}}$

⑨ $\frac{1}{13} \div \frac{8}{13} = \boxed{} \div \boxed{} = \frac{\boxed{}}{\boxed{}}$

⑩ $\frac{7}{32} \div \frac{25}{32} = \boxed{} \div \boxed{} = \frac{\boxed{}}{\boxed{}}$

기초 계산 연습

🐻 계산을 하여 기약분수로 나타내 보세요.

⑪ $\dfrac{2}{5} \div \dfrac{3}{5}$

⑫ $\dfrac{3}{8} \div \dfrac{7}{8}$

⑬ $\dfrac{5}{11} \div \dfrac{8}{11}$

⑭ $\dfrac{3}{7} \div \dfrac{6}{7}$

⑮ $\dfrac{1}{10} \div \dfrac{9}{10}$

⑯ $\dfrac{2}{13} \div \dfrac{8}{13}$

⑰ $\dfrac{7}{15} \div \dfrac{14}{15}$

⑱ $\dfrac{5}{12} \div \dfrac{7}{12}$

⑲ $\dfrac{6}{17} \div \dfrac{15}{17}$

⑳ $\dfrac{8}{19} \div \dfrac{9}{19}$

㉑ $\dfrac{10}{21} \div \dfrac{16}{21}$

㉒ $\dfrac{14}{25} \div \dfrac{21}{25}$

㉓ $\dfrac{1}{20} \div \dfrac{7}{20}$

㉔ $\dfrac{11}{23} \div \dfrac{15}{23}$

분자끼리 나누어떨어지지 않는 분모가 같은 (진분수)÷(진분수) ⑴

 계산을 하여 기약분수로 나타내 보세요.

1 $\dfrac{2}{7} \div \dfrac{5}{7}$

2 $\dfrac{3}{5} \div \dfrac{4}{5}$

3 $\dfrac{5}{9} \div \dfrac{7}{9}$

4 $\dfrac{4}{11} \div \dfrac{9}{11}$

5 $\dfrac{3}{8} \div \dfrac{5}{8}$

6 $\dfrac{3}{10} \div \dfrac{9}{10}$

7 $\dfrac{9}{13} \div \dfrac{12}{13}$

8 $\dfrac{14}{27} \div \dfrac{16}{27}$

9 $\dfrac{20}{29} \div \dfrac{25}{29}$

빈칸에 알맞은 기약분수를 써넣으세요.

10 $\dfrac{1}{6} \div \dfrac{5}{6} =$

11 $\dfrac{5}{12} \div \dfrac{11}{12} =$

12 $\dfrac{3}{17} \div \dfrac{12}{17} =$

13 $\dfrac{7}{16} \div \dfrac{9}{16} =$

14 $\dfrac{12}{19} \div \dfrac{15}{19} =$

15 $\dfrac{3}{22} \div \dfrac{13}{22} =$

분수의 나눗셈

빈칸에 알맞은 기약분수를 써넣으세요.

16

$\div$

$\dfrac{3}{20}$	$\dfrac{13}{20}$	$\dfrac{3}{13}$
$\dfrac{9}{20}$	$\dfrac{17}{20}$	

17

$\div$

$\dfrac{5}{32}$	$\dfrac{15}{32}$	
$\dfrac{11}{32}$	$\dfrac{27}{32}$	

생활 속 계산

무게를 보고 몇 배인지 기약분수로 나타내 보세요.

18 $\dfrac{7}{10}$ kg $\dfrac{9}{10}$ kg

 는 의 ☐ 배

19 $\dfrac{18}{25}$ kg $\dfrac{21}{25}$ kg

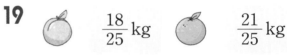 는 의 ☐ 배

문장 읽고 계산식 세우기

20

호두는 $\dfrac{5}{9}$ kg, 땅콩은 $\dfrac{8}{9}$ kg 있을 때 호두 무게는 땅콩 무게의 몇 배?

식  $\dfrac{5}{9} \div$ ☐ = ☐ (배)

21

잣은 $\dfrac{8}{15}$ kg, 대추는 $\dfrac{14}{15}$ kg 있을 때 잣 무게는 대추 무게의 몇 배?

식  ☐ $\div$ ☐ = ☐ (배)

1

분수의 나눗셈

17

4 일차

분자끼리 나누어떨어지지 않는 분모가 같은 (진분수)÷(진분수) ⑵

이렇게 해결하자

- $\frac{5}{8} \div \frac{3}{8}$의 계산 ── 몫이 1보다 큰 경우

$$\frac{5}{8} \div \frac{3}{8} = 5 \div 3 = \frac{5}{3} = 1\frac{2}{3}$$

나누어지는 수 ┘   └ 나누는 수

 나누어지는 수가 나누는 수보다 크면 몫이 1보다 커요.

□ 안에 알맞은 수를 써넣으세요.

❶ $\frac{5}{7} \div \frac{4}{7} = 5 \div \boxed{}$

$= \frac{5}{\boxed{}} = \boxed{}\frac{\boxed{}}{4}$

❷ $\frac{7}{10} \div \frac{3}{10} = \boxed{} \div 3$

$= \frac{\boxed{}}{3} = \boxed{}\frac{\boxed{}}{3}$

❸ $\frac{9}{13} \div \frac{5}{13} = 9 \div \boxed{}$

$= \frac{\boxed{}}{\boxed{}} = \boxed{}\frac{\boxed{}}{5}$

❹ $\frac{11}{16} \div \frac{3}{16} = \boxed{} \div 3$

$= \frac{\boxed{}}{\boxed{}} = \boxed{}\frac{\boxed{}}{3}$

❺ $\frac{14}{19} \div \frac{8}{19} = 14 \div \boxed{} = \frac{14}{\boxed{}} = \frac{7}{\boxed{}} = \boxed{}\frac{3}{\boxed{}}$

❻ $\frac{21}{25} \div \frac{6}{25} = \boxed{} \div 6 = \frac{\boxed{}}{6} = \frac{\boxed{}}{2} = \boxed{}\frac{\boxed{}}{2}$

❼ $\frac{28}{33} \div \frac{20}{33} = \boxed{} \div \boxed{} = \frac{\boxed{}}{20} = \frac{\boxed{}}{5} = \boxed{}\frac{\boxed{}}{5}$

기초 계산 연습

🐻 계산을 하여 기약분수로 나타내 보세요. (단, 계산 결과는 대분수로 나타냅니다.)

❽ $\dfrac{7}{8} \div \dfrac{5}{8}$

❾ $\dfrac{3}{5} \div \dfrac{2}{5}$

❿ $\dfrac{5}{9} \div \dfrac{4}{9}$

⓫ $\dfrac{8}{11} \div \dfrac{3}{11}$

⓬ $\dfrac{11}{12} \div \dfrac{5}{12}$

⓭ $\dfrac{15}{17} \div \dfrac{9}{17}$

⓮ $\dfrac{9}{20} \div \dfrac{7}{20}$

⓯ $\dfrac{10}{13} \div \dfrac{6}{13}$

⓰ $\dfrac{16}{21} \div \dfrac{5}{21}$

⓱ $\dfrac{15}{19} \div \dfrac{8}{19}$

⓲ $\dfrac{14}{23} \div \dfrac{3}{23}$

⓳ $\dfrac{18}{25} \div \dfrac{12}{25}$

⓴ $\dfrac{20}{29} \div \dfrac{8}{29}$

㉑ $\dfrac{25}{26} \div \dfrac{9}{26}$

분자끼리 나누어떨어지지 않는 분모가 같은 (진분수)÷(진분수) ⑵

 계산을 하여 기약분수로 나타내 보세요. (단, 계산 결과는 대분수로 나타냅니다.)

1 $\dfrac{4}{5} \div \dfrac{3}{5}$

2 $\dfrac{5}{7} \div \dfrac{2}{7}$

3 $\dfrac{11}{14} \div \dfrac{3}{14}$

4 $\dfrac{7}{12} \div \dfrac{5}{12}$

5 $\dfrac{14}{15} \div \dfrac{4}{15}$

6 $\dfrac{9}{16} \div \dfrac{7}{16}$

7 $\dfrac{13}{21} \div \dfrac{8}{21}$

8 $\dfrac{15}{23} \div \dfrac{9}{23}$

9 $\dfrac{26}{35} \div \dfrac{12}{35}$

 빈칸에 알맞은 기약분수를 써넣으세요. (단, 계산 결과는 대분수로 나타냅니다.)

10 $\dfrac{8}{9} \div \dfrac{5}{9} =$

11 $\dfrac{10}{11} \div \dfrac{8}{11} =$

12 $\dfrac{12}{17} \div \dfrac{9}{17} =$

13 $\dfrac{16}{19} \div \dfrac{7}{19} =$

14 $\dfrac{17}{22} \div \dfrac{3}{22} =$

15 $\dfrac{25}{27} \div \dfrac{10}{27} =$

플러스 계산 연습

🐻 빈칸에 알맞은 기약분수를 써넣으세요. (단, 계산 결과는 대분수로 나타냅니다.)

16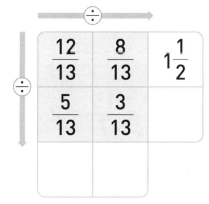

÷		
$\dfrac{12}{13}$	$\dfrac{8}{13}$	$1\dfrac{1}{2}$
$\dfrac{5}{13}$	$\dfrac{3}{13}$	

17

÷		
$\dfrac{35}{37}$	$\dfrac{20}{37}$	
$\dfrac{28}{37}$	$\dfrac{9}{37}$	

생활 속 계산

🐻 들이를 보고 몇 배인지 기약분수로 나타내 보세요. (단, 계산 결과는 대분수로 나타냅니다.)

18 $\dfrac{9}{10}$ L $\dfrac{7}{10}$ L

 는 의 ☐ 배

19 $\dfrac{14}{15}$ L $\dfrac{8}{15}$ L

 는 의 ☐ 배

문장 읽고 계산식 세우기

20 굵기가 일정한 나무막대 $\dfrac{3}{8}$ m의 무게가 $\dfrac{7}{8}$ kg일 때, 1 m의 무게는 몇 kg?

식 $\dfrac{7}{8} \div \boxed{} = \boxed{}$ (kg)

21 굵기가 일정한 나무막대 $\dfrac{7}{20}$ m의 무게가 $\dfrac{11}{20}$ kg일 때, 1 m의 무게는 몇 kg?

식 $\boxed{} \div \dfrac{7}{20} = \boxed{}$ (kg)

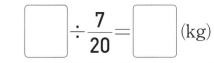

분모가 다른 (분수)÷(분수)를 통분하여 계산하기

  이렇게 해결하자

- $\dfrac{5}{6} \div \dfrac{7}{18}$ 의 계산

$$\dfrac{5}{6} \div \dfrac{7}{18} = \dfrac{5 \times 3}{6 \times 3} \div \dfrac{7}{18} = \dfrac{15}{18} \div \dfrac{7}{18} = 15 \div 7 = \dfrac{15}{7} = 2\dfrac{1}{7}$$

통분하기   분자끼리 나누기

분모가 다른 분수의 나눗셈은 통분하여 분자끼리 나누어 구할 수 있어요.

🐻 □ 안에 알맞은 수를 써넣으세요.

① $\dfrac{3}{8} \div \dfrac{3}{4} = \dfrac{3}{8} \div \dfrac{3 \times 2}{4 \times 2} = \dfrac{3}{8} \div \dfrac{\square}{8} = 3 \div \square = \dfrac{3}{\square} = \dfrac{1}{\square}$

② $\dfrac{4}{5} \div \dfrac{4}{15} = \dfrac{4 \times 3}{5 \times 3} \div \dfrac{4}{15} = \dfrac{\square}{15} \div \dfrac{4}{15} = \square \div 4 = \square$

③ $\dfrac{1}{3} \div \dfrac{2}{5} = \dfrac{1 \times 5}{3 \times 5} \div \dfrac{2 \times 3}{5 \times 3} = \dfrac{\square}{15} \div \dfrac{\square}{15} = \square \div \square = \dfrac{\square}{\square}$

④ $\dfrac{7}{8} \div \dfrac{5}{6} = \dfrac{7 \times 3}{8 \times 3} \div \dfrac{5 \times \square}{6 \times \square} = \dfrac{\square}{24} \div \dfrac{\square}{24} = \dfrac{\square}{20} = \square \dfrac{\square}{20}$

⑤ $\dfrac{9}{10} \div \dfrac{3}{4} = \dfrac{9 \times 2}{10 \times 2} \div \dfrac{3 \times \square}{4 \times \square} = \dfrac{\square}{20} \div \dfrac{\square}{20} = \dfrac{\square}{15} = \dfrac{\square}{5} = \dfrac{\square}{5}$

1

분수의 나눗셈

기초 계산 연습

계산을 하여 기약분수로 나타내 보세요. (단, 계산 결과가 가분수이면 대분수로 나타냅니다.)

⑥ $\dfrac{3}{5} \div \dfrac{1}{2}$

⑦ $\dfrac{2}{3} \div \dfrac{5}{6}$

⑧ $\dfrac{1}{4} \div \dfrac{6}{7}$

⑨ $\dfrac{5}{8} \div \dfrac{1}{3}$

⑩ $\dfrac{7}{9} \div \dfrac{3}{4}$

⑪ $\dfrac{4}{5} \div \dfrac{2}{7}$

⑫ $\dfrac{3}{8} \div \dfrac{3}{10}$

⑬ $\dfrac{5}{9} \div \dfrac{3}{5}$

⑭ $\dfrac{7}{11} \div \dfrac{2}{3}$

⑮ $\dfrac{11}{18} \div \dfrac{1}{6}$

⑯ $\dfrac{3}{7} \div \dfrac{4}{21}$

⑰ $\dfrac{7}{10} \div \dfrac{8}{15}$

⑱ $\dfrac{2}{9} \div \dfrac{22}{27}$

⑲ $\dfrac{34}{35} \div \dfrac{6}{7}$

분모가 다른 (분수)÷(분수)를 통분하여 계산하기

 계산을 하여 기약분수로 나타내 보세요. (단, 계산 결과가 가분수이면 대분수로 나타냅니다.)

1 $\dfrac{5}{7} \div \dfrac{1}{2}$

2 $\dfrac{4}{7} \div \dfrac{3}{4}$

3 $\dfrac{9}{14} \div \dfrac{3}{4}$

4 $\dfrac{6}{11} \div \dfrac{5}{8}$

5 $\dfrac{7}{12} \div \dfrac{2}{9}$

6 $\dfrac{2}{3} \div \dfrac{11}{14}$

분수의 나눗셈

빈칸에 알맞은 기약분수를 써넣으세요. (단, 계산 결과가 가분수이면 대분수로 나타냅니다.)

7 $\dfrac{1}{5}$ → $\div \dfrac{2}{3}$ → ☐

8 $\dfrac{7}{9}$ → $\div \dfrac{5}{6}$ → ☐

9 $\dfrac{3}{8}$ → $\div \dfrac{5}{12}$ → ☐

10 $\dfrac{13}{15}$ → $\div \dfrac{3}{10}$ → ☐

11 $\dfrac{2}{7}$ → $\div \dfrac{8}{21}$ → ☐

12 $\dfrac{12}{13}$ → $\div \dfrac{5}{11}$ → ☐

플러스 계산 연습

관계있는 것끼리 선으로 이어 보세요.

13

$\dfrac{7}{8} \div \dfrac{2}{5}$

$\dfrac{5}{6} \div \dfrac{2}{3}$

· $1\dfrac{4}{15}$

· $2\dfrac{3}{16}$

· $1\dfrac{1}{4}$

14

$\dfrac{1}{3} \div \dfrac{6}{7}$

$\dfrac{4}{9} \div \dfrac{3}{4}$

· $\dfrac{16}{27}$

· $\dfrac{20}{21}$

· $\dfrac{7}{18}$

생활 속 계산

친구들이 일정한 빠르기로 자전거를 탔습니다. 몇 분 동안 탄 것인지 기약분수로 나타내 보세요.
(단, 계산 결과가 가분수이면 대분수로 나타냅니다.)

15  1분에 $\dfrac{2}{9}$ km씩 $\dfrac{3}{7}$ km를 갔어요.

$\dfrac{3}{7} \div \dfrac{2}{9} = \boxed{}$ (분)

16 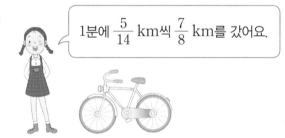 1분에 $\dfrac{5}{14}$ km씩 $\dfrac{7}{8}$ km를 갔어요.

$\dfrac{7}{8} \div \boxed{} = \boxed{}$ (분)

문장 읽고 계산식 세우기

17 넓이가 $\dfrac{13}{20}$ m²인 직사각형의 가로가 $\dfrac{3}{4}$ m일 때, 세로는 몇 m?

식 $\dfrac{13}{20} \div \boxed{} = \boxed{}$ (m)

18 넓이가 $\dfrac{7}{9}$ m²인 직사각형의 세로가 $\dfrac{1}{2}$ m일 때, 가로는 몇 m?

식 $\boxed{} \div \boxed{} = \boxed{}$ (m)

1

6 분모가 다른 (분수)÷(분수)를 곱셈으로 나타내 계산하기

이렇게 해결하자

• $\dfrac{3}{8} \div \dfrac{4}{5}$ 의 계산

$$\dfrac{3}{8} \div \dfrac{4}{5} = \dfrac{3}{8} \times \dfrac{5}{4} = \dfrac{15}{32}$$

■ ÷ ▲ = ■ × ▲ / ◆

나눗셈을 곱셈으로
나타내고 나누는
분수의 분모와 분자를
바꾸어 계산해요.

□ 안에 알맞은 수를 써넣으세요.

1 $\dfrac{1}{4} \div \dfrac{2}{5} = \dfrac{1}{4} \times \dfrac{\boxed{}}{2} = \dfrac{\boxed{}}{8}$

2 $\dfrac{3}{5} \div \dfrac{5}{6} = \dfrac{3}{5} \times \dfrac{\boxed{}}{\boxed{}} = \dfrac{\boxed{}}{25}$

3 $\dfrac{3}{8} \div \dfrac{4}{7} = \dfrac{3}{8} \times \dfrac{\boxed{}}{\boxed{}} = \dfrac{\boxed{}}{\boxed{}}$

4 $\dfrac{5}{9} \div \dfrac{2}{3} = \dfrac{5}{\overset{}{\underset{3}{9}}} \times \dfrac{\overset{1}{3}}{\boxed{}} = \dfrac{5}{\boxed{}}$

5 $\dfrac{5}{6} \div \dfrac{2}{7} = \dfrac{5}{6} \times \dfrac{\boxed{}}{2}$

$= \dfrac{\boxed{}}{12} = \boxed{}\dfrac{\boxed{}}{12}$

6 $\dfrac{3}{4} \div \dfrac{2}{9} = \dfrac{3}{4} \times \dfrac{\boxed{}}{\boxed{}}$

$= \dfrac{\boxed{}}{\boxed{}} = \boxed{}\dfrac{\boxed{}}{\boxed{}}$

7 $\dfrac{8}{9} \div \dfrac{4}{7} = \dfrac{\overset{\boxed{}}{8}}{9} \times \dfrac{\boxed{}}{\underset{\boxed{}}{4}}$

$= \dfrac{\boxed{}}{9} = \boxed{}\dfrac{\boxed{}}{9}$

8 $\dfrac{4}{5} \div \dfrac{3}{10} = \dfrac{4}{\overset{}{\underset{1}{5}}} \times \dfrac{\overset{2}{10}}{\boxed{}}$

$= \dfrac{8}{\boxed{}} = \boxed{}\dfrac{\boxed{}}{\boxed{}}$

기초 계산 연습

 계산을 하여 기약분수로 나타내 보세요. (단, 계산 결과가 가분수이면 대분수로 나타냅니다.)

⑨ $\dfrac{1}{3} \div \dfrac{1}{2}$

⑩ $\dfrac{3}{10} \div \dfrac{4}{7}$

⑪ $\dfrac{1}{6} \div \dfrac{3}{7}$

⑫ $\dfrac{3}{4} \div \dfrac{2}{5}$

⑬ $\dfrac{7}{12} \div \dfrac{3}{4}$

⑭ $\dfrac{3}{10} \div \dfrac{1}{2}$

⑮ $\dfrac{4}{5} \div \dfrac{4}{9}$

⑯ $\dfrac{5}{6} \div \dfrac{11}{12}$

⑰ $\dfrac{5}{8} \div \dfrac{5}{11}$

⑱ $\dfrac{13}{24} \div \dfrac{3}{16}$

⑲ $\dfrac{15}{26} \div \dfrac{5}{7}$

⑳ $\dfrac{7}{9} \div \dfrac{3}{14}$

㉑ $\dfrac{2}{3} \div \dfrac{4}{13}$

㉒ $\dfrac{6}{7} \div \dfrac{5}{8}$

1

분수의 나눗셈

분모가 다른 (분수)÷(분수)를 곱셈으로 나타내 계산하기

🐻 계산을 하여 기약분수로 나타내 보세요. (단, 계산 결과가 가분수이면 대분수로 나타냅니다.)

1 $\dfrac{2}{5} \div \dfrac{1}{6}$

2 $\dfrac{2}{7} \div \dfrac{3}{4}$

3 $\dfrac{7}{10} \div \dfrac{2}{3}$

4 $\dfrac{5}{9} \div \dfrac{5}{8}$

5 $\dfrac{4}{5} \div \dfrac{11}{15}$

6 $\dfrac{9}{14} \div \dfrac{4}{21}$

🐻 빈칸에 알맞은 기약분수를 써넣으세요. (단, 계산 결과가 가분수이면 대분수로 나타냅니다.)

7 $\dfrac{1}{3}$ $\div \dfrac{4}{5}$

8 $\dfrac{4}{7}$ $\div \dfrac{2}{3}$

9 $\dfrac{3}{11}$ $\div \dfrac{6}{7}$

10 $\dfrac{8}{15}$ $\div \dfrac{3}{4}$

11 $\dfrac{9}{10}$ $\div \dfrac{7}{25}$

12 $\dfrac{3}{8}$ $\div \dfrac{9}{16}$

분수의 나눗셈

1

플러스 계산 연습

🐻 빈칸에 알맞은 기약분수를 써넣으세요. (단, 계산 결과가 가분수이면 대분수로 나타냅니다.)

13
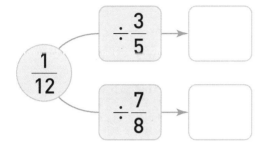

14
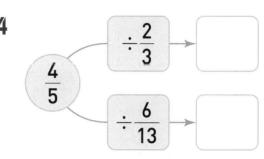

15
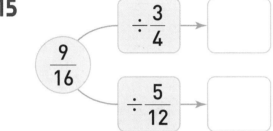

16
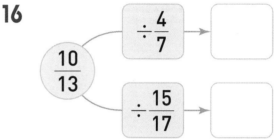

1

분수의 나눗셈

문장 **읽고 계산식** 세우기

17 망고는 $\dfrac{2}{5}$ kg, 귤은 $\dfrac{2}{9}$ kg일 때 망고 무게는 귤 무게의 몇 배?

식 　$\dfrac{2}{5} \div \boxed{} = \boxed{}$ (배)

18 키위는 $\dfrac{1}{8}$ kg, 감은 $\dfrac{5}{12}$ kg일 때 키위 무게는 감 무게의 몇 배?

식 　$\boxed{} \div \boxed{} = \boxed{}$ (배)

29

19 두께가 일정한 철판 $\dfrac{3}{4}$ m²의 무게가 $\dfrac{5}{8}$ kg일 때, 1 m²의 무게는 몇 kg?

식 　$\dfrac{5}{8} \div \boxed{} = \boxed{}$ (kg)

20 두께가 일정한 철판 $\dfrac{2}{3}$ m²의 무게가 $\dfrac{17}{20}$ kg일 때, 1 m²의 무게는 몇 kg?

식 　$\boxed{} \div \boxed{} = \boxed{}$ (kg)

계산해 보세요.

① $\dfrac{11}{12} \div \dfrac{1}{12}$

② $\dfrac{4}{11} \div \dfrac{1}{11}$

③ $\dfrac{13}{15} \div \dfrac{1}{15}$

④ $\dfrac{7}{17} \div \dfrac{1}{17}$

⑤ $\dfrac{12}{25} \div \dfrac{4}{25}$

⑥ $\dfrac{28}{31} \div \dfrac{7}{31}$

⑦ $\dfrac{8}{13} \div \dfrac{2}{13}$

⑧ $\dfrac{15}{19} \div \dfrac{3}{19}$

⑨ $\dfrac{10}{21} \div \dfrac{5}{21}$

1 분수의 나눗셈

계산을 하여 기약분수로 나타내 보세요. (단, 계산 결과가 가분수이면 대분수로 나타냅니다.)

⑩ $\dfrac{4}{9} \div \dfrac{7}{9}$

⑪ $\dfrac{3}{14} \div \dfrac{11}{14}$

⑫ $\dfrac{3}{22} \div \dfrac{9}{22}$

⑬ $\dfrac{10}{17} \div \dfrac{14}{17}$

⑭ $\dfrac{7}{9} \div \dfrac{2}{9}$

⑮ $\dfrac{11}{13} \div \dfrac{4}{13}$

⑯ $\dfrac{13}{18} \div \dfrac{5}{18}$

⑰ $\dfrac{22}{25} \div \dfrac{6}{25}$

⑱ $\dfrac{27}{34} \div \dfrac{15}{34}$

⑲ $\dfrac{1}{6} \div \dfrac{2}{5}$

⑳ $\dfrac{4}{9} \div \dfrac{5}{6}$

㉑ $\dfrac{7}{8} \div \dfrac{14}{15}$

㉒ $\dfrac{1}{2} \div \dfrac{5}{11}$

㉓ $\dfrac{6}{7} \div \dfrac{1}{4}$

㉔ $\dfrac{5}{8} \div \dfrac{3}{10}$

보기 와 같이 계산해 보세요.

보기

$$\dfrac{2}{5} \div \dfrac{3}{4} = \dfrac{8}{20} \div \dfrac{15}{20} = 8 \div 15 = \dfrac{8}{15}$$

㉕ $\dfrac{1}{3} \div \dfrac{3}{4}$

㉖ $\dfrac{3}{7} \div \dfrac{1}{2}$

㉗ $\dfrac{3}{5} \div \dfrac{5}{8}$

보기 와 같이 계산해 보세요.

보기

$$\dfrac{8}{9} \div \dfrac{3}{4} = \dfrac{8}{9} \times \dfrac{4}{3} = \dfrac{32}{27} = 1\dfrac{5}{27}$$

㉘ $\dfrac{7}{8} \div \dfrac{5}{9}$

㉙ $\dfrac{9}{10} \div \dfrac{2}{3}$

㉚ $\dfrac{13}{16} \div \dfrac{2}{5}$

제한 시간 안에 정확하게
모두 풀었다면 여러분은 진정한 계산왕!

(자연수)÷(진분수)

 이렇게 해결하자

- $6 \div \dfrac{2}{3}$의 계산 — 자연수가 분수의 분자로 나누어떨어지는 경우

$$6 \div \dfrac{2}{3} = \underline{(6 \div 2) \times 3} = 9$$

자연수를 분수의 분자로 나누고 분모를 곱하여 계산합니다.

- $7 \div \dfrac{2}{3}$의 계산 — 자연수가 분수의 분자로 나누어떨어지지 않는 경우

$$7 \div \dfrac{2}{3} = 7 \times \dfrac{3}{2} = \dfrac{21}{2} = 10\dfrac{1}{2}$$

나눗셈을 곱셈으로 나타내고 나누는 분수의 분모와 분자를 바꾸어 계산합니다.

1 분수의 나눗셈

☐ 안에 알맞은 수를 써넣으세요.

① $8 \div \dfrac{4}{5} = (8 \div 4) \times \boxed{} = \boxed{}$

② $6 \div \dfrac{3}{4} = (6 \div 3) \times \boxed{} = \boxed{}$

③ $9 \div \dfrac{3}{7} = (9 \div \boxed{}) \times \boxed{} = \boxed{}$

④ $10 \div \dfrac{2}{3} = (10 \div \boxed{}) \times \boxed{} = \boxed{}$

⑤ $2 \div \dfrac{3}{5} = 2 \times \dfrac{\boxed{}}{3}$

$$= \dfrac{\boxed{}}{3} = \boxed{}\dfrac{\boxed{}}{3}$$

⑥ $4 \div \dfrac{5}{6} = 4 \times \dfrac{\boxed{}}{\boxed{}}$

$$= \dfrac{\boxed{}}{5} = \boxed{}\dfrac{\boxed{}}{5}$$

⑦ $10 \div \dfrac{6}{7} = 10 \times \dfrac{\boxed{}\ 7}{6\ \boxed{}}$

$$= \dfrac{\boxed{}}{3} = \boxed{}\dfrac{\boxed{}}{3}$$

⑧ $12 \div \dfrac{8}{9} = 12 \times \dfrac{\boxed{}\ \boxed{}}{8\ \boxed{}}$

$$= \dfrac{\boxed{}}{\boxed{}} = \boxed{}\dfrac{\boxed{}}{\boxed{}}$$

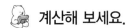

기초 계산 연습

계산해 보세요.

⑨ $4 \div \dfrac{2}{7}$

⑩ $10 \div \dfrac{5}{6}$

⑪ $12 \div \dfrac{4}{5}$

⑫ $15 \div \dfrac{3}{8}$

⑬ $28 \div \dfrac{7}{11}$

⑭ $27 \div \dfrac{9}{10}$

⑮ $20 \div \dfrac{10}{13}$

⑯ $32 \div \dfrac{8}{11}$

계산을 하여 기약분수로 나타내 보세요. (단, 계산 결과는 대분수로 나타냅니다.)

⑰ $5 \div \dfrac{2}{3}$

⑱ $7 \div \dfrac{3}{4}$

⑲ $8 \div \dfrac{9}{10}$

⑳ $6 \div \dfrac{4}{9}$

㉑ $11 \div \dfrac{3}{5}$

㉒ $16 \div \dfrac{6}{7}$

(자연수)÷(진분수)

🐻 보기 와 같이 계산해 보세요. (단, 계산 결과가 가분수이면 대분수로 나타냅니다.)

보기

$$8 \div \frac{2}{3} = \overset{4}{8} \times \frac{3}{\underset{1}{2}} = 12$$

÷를 ×로 바꾸고 분수의 분모와 분자를 바꾸어 계산해요.

1 $5 \div \frac{5}{7}$

2 $18 \div \frac{3}{5}$

3 $10 \div \frac{2}{9}$

4 $14 \div \frac{7}{8}$

5 $3 \div \frac{6}{7}$

6 $14 \div \frac{4}{5}$

7 $6 \div \frac{9}{14}$

8 $12 \div \frac{15}{16}$

🐻 자연수를 진분수로 나눈 몫을 빈칸에 써넣으세요. (단, 계산 결과는 대분수로 나타냅니다.)

9
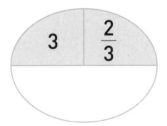
3 $\frac{2}{3}$

10

$\frac{4}{7}$ 5

11

$\frac{8}{11}$ 9

12
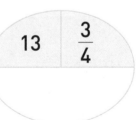
13 $\frac{3}{4}$

생활 속 계산

주어진 리본 끈을 모두 몇 명이 나누어 가졌는지 구하세요.

13  한 명이 $\frac{3}{5}$ m씩 가졌어요.

$$9 \div \frac{3}{5} = \boxed{}(명)$$

14  한 명이 $\frac{8}{25}$ m씩 가졌어요.

$$16 \div \boxed{} = \boxed{}(명)$$

15 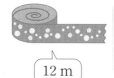 한 명이 $\frac{3}{4}$ m씩 가졌어요.

$$\boxed{} \div \frac{3}{4} = \boxed{}(명)$$

16 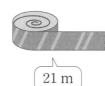 한 명이 $\frac{7}{10}$ m씩 가졌어요.

$$21 \div \boxed{} = \boxed{}(명)$$

문장 읽고 계산식 세우기

17 넓이가 7 m²인 평행사변형의 높이가 $\frac{5}{6}$ m일 때, 밑변의 길이는 몇 m?

  $$7 \div \frac{5}{6} = \boxed{}(m)$$

_____

18 넓이가 5 m²인 평행사변형의 높이가 $\frac{3}{5}$ m일 때, 밑변의 길이는 몇 m?

식 $$5 \div \boxed{} = \boxed{}(m)$$

_____

19 수정과 4 L를 하루에 $\frac{4}{7}$ L씩 마시면 모두 며칠 동안 마실 수 있는지?

  $$4 \div \boxed{} = \boxed{}(일)$$

_____

20 주스 18 L를 하루에 $\frac{6}{13}$ L씩 마시면 모두 며칠 동안 마실 수 있는지?

식 $$\boxed{} \div \boxed{} = \boxed{}(일)$$

_____

1

분수의 나눗셈

35

(자연수)÷(대분수)

• $4 \div 1\frac{2}{3}$ 의 계산

$$4 \div 1\frac{2}{3} = 4 \div \frac{5}{3} = 4 \times \frac{3}{5} = \frac{12}{5} = 2\frac{2}{5}$$

대분수를 가분수로 나타냅니다.

대분수를 가분수로 나타내고 ÷를 ×로 바꾸어 계산해요.

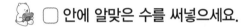

□ 안에 알맞은 수를 써넣으세요.

❶ $3 \div 3\frac{1}{3} = 3 \div \frac{10}{3} = 3 \times \frac{3}{\square} = \frac{\square}{\square}$

❷ $8 \div 2\frac{1}{2} = 8 \div \frac{5}{2} = 8 \times \frac{\square}{\square} = \frac{\square}{\square} = \square\frac{\square}{5}$

❸ $7 \div 1\frac{1}{5} = 7 \div \frac{\square}{5} = 7 \times \frac{5}{\square} = \frac{\square}{\square} = \square\frac{\square}{\square}$

❹ $5 \div 2\frac{3}{4} = 5 \div \frac{\square}{4} = 5 \times \frac{4}{\square} = \frac{\square}{\square} = \square\frac{\square}{\square}$

❺ $9 \div 1\frac{1}{11} = 9 \div \frac{12}{11} = 9 \times \frac{\square}{12} = \frac{\square}{\square} = \square\frac{\square}{\square}$

❻ $10 \div 3\frac{4}{7} = 10 \div \frac{\square}{7} = 10 \times \frac{\square}{\square} = \frac{\square}{5} = \square\frac{\square}{5}$

기초 계산 연습

계산을 하여 기약분수로 나타내 보세요. (단, 계산 결과가 가분수이면 대분수로 나타냅니다.)

7 $2 \div 2\dfrac{1}{3}$

8 $7 \div 1\dfrac{1}{2}$

9 $6 \div 2\dfrac{2}{5}$

10 $3 \div 1\dfrac{3}{4}$

11 $8 \div 3\dfrac{1}{4}$

12 $5 \div 6\dfrac{3}{7}$

13 $12 \div 2\dfrac{1}{2}$

14 $9 \div 3\dfrac{3}{5}$

15 $15 \div 3\dfrac{1}{3}$

16 $16 \div 3\dfrac{1}{2}$

17 $17 \div 1\dfrac{2}{9}$

18 $21 \div 4\dfrac{1}{6}$

19 $25 \div 2\dfrac{1}{7}$

20 $28 \div 7\dfrac{7}{8}$

(자연수)÷(대분수)

보기 와 같이 계산해 보세요.

보기

$$4 \div 1\frac{1}{7} = 4 \div \frac{8}{7} = \overset{1}{4} \times \frac{7}{\underset{2}{8}} = \frac{7}{2} = 3\frac{1}{2}$$

> 계산 중간에 약분하여 나타내요.

1 $3 \div 3\frac{3}{4}$

2 $18 \div 2\frac{2}{5}$

3 $8 \div 1\frac{7}{9}$

4 $20 \div 2\frac{4}{7}$

5 $26 \div 4\frac{7}{8}$

6 $35 \div 1\frac{5}{9}$

1 분수의 나눗셈

자연수를 대분수로 나눈 몫을 빈칸에 써넣으세요. (단, 계산 결과가 가분수이면 대분수로 나타냅니다.)

7

6	$1\frac{3}{4}$

8

9	$2\frac{2}{5}$

9

$3\frac{1}{7}$	14

10

$2\frac{1}{8}$	17

관계있는 것끼리 선으로 이어 보세요.

11

$3 \div 1\frac{1}{5}$ •

• $4\frac{1}{3}$

• $3\frac{1}{9}$

$7 \div 2\frac{1}{4}$ •

• $2\frac{1}{2}$

12

$8 \div 1\frac{1}{3}$ •

• 6

• $\frac{4}{7}$

$2 \div 3\frac{1}{2}$ •

• $\frac{2}{9}$

생활 속 계산

 자동차가 일정한 빠르기로 달릴 때 1분에 간 거리는 몇 km인지 기약분수로 나타내 보세요.
(단, 계산 결과가 가분수이면 대분수로 나타냅니다.)

13

 5 km를 가는 데 $3\frac{1}{2}$분 걸렸어요.

$5 \div 3\frac{1}{2} = \boxed{}$ (km)

14

 4 km를 가는 데 $2\frac{2}{5}$분 걸렸어요.

$4 \div \boxed{} = \boxed{}$ (km)

문장 읽고 계산식 세우기

15

한 변의 길이가 $1\frac{2}{3}$ cm인 정다각형의 둘레가 15 cm일 때 변은 모두 몇 개?

 식 $15 \div \boxed{} = \boxed{}$ (개)

16

한 변의 길이가 $2\frac{4}{7}$ cm인 정다각형의 둘레가 36 cm일 때 변은 모두 몇 개?

 식 $\boxed{} \div \boxed{} = \boxed{}$ (개)

(대분수)÷(진분수)

이렇게 해결하자

• $1\frac{1}{3} \div \frac{3}{5}$의 계산

$$1\frac{1}{3} \div \frac{3}{5} = \frac{4}{3} \div \frac{3}{5} = \frac{4}{3} \times \frac{5}{3} = \frac{20}{9} = 2\frac{2}{9}$$

대분수를 가분수로
나타냅니다.

계산 결과를
대분수로 나타냅니다.

(대분수)÷(진분수)의
몫은 1보다 커요.

□ 안에 알맞은 수를 써넣으세요.

1 $1\frac{1}{4} \div \frac{7}{9} = \frac{5}{4} \div \frac{7}{9} = \frac{5}{4} \times \frac{9}{\square} = \frac{\square}{28} = \square\frac{\square}{28}$

2 $2\frac{4}{5} \div \frac{3}{10} = \frac{\square}{5} \div \frac{3}{10} = \frac{\square}{5} \times \frac{\overset{2}{10}}{\square} = \frac{\square}{\square} = \square\frac{\square}{\square}$

3 $2\frac{2}{7} \div \frac{4}{5} = \frac{16}{7} \div \frac{4}{5} = \frac{\overset{\square}{16}}{7} \times \frac{\square}{\underset{\square}{4}} = \frac{\square}{7} = \square\frac{\square}{\square}$

4 $1\frac{1}{8} \div \frac{4}{11} = \frac{\square}{8} \div \frac{4}{11} = \frac{\square}{8} \times \frac{\square}{\square} = \frac{\square}{\square} = \square\frac{\square}{\square}$

5 $3\frac{1}{2} \div \frac{5}{6} = \frac{\square}{2} \div \frac{5}{6} = \frac{\square}{2} \times \frac{\overset{\square}{6}}{\square} = \frac{\square}{\square} = \square\frac{\square}{\square}$

1

분수의 나눗셈

기초 계산 연습

🐻 계산을 하여 기약분수로 나타내 보세요. (단, 계산 결과는 대분수로 나타냅니다.)

6 $1\dfrac{2}{3} \div \dfrac{2}{9}$

7 $2\dfrac{3}{4} \div \dfrac{1}{5}$

8 $1\dfrac{1}{6} \div \dfrac{4}{7}$

9 $3\dfrac{1}{5} \div \dfrac{5}{6}$

10 $3\dfrac{5}{6} \div \dfrac{3}{4}$

11 $2\dfrac{1}{7} \div \dfrac{10}{11}$

12 $2\dfrac{3}{5} \div \dfrac{2}{3}$

13 $1\dfrac{7}{8} \div \dfrac{6}{7}$

14 $4\dfrac{1}{6} \div \dfrac{5}{9}$

15 $3\dfrac{1}{2} \div \dfrac{4}{5}$

16 $2\dfrac{4}{9} \div \dfrac{8}{13}$

17 $3\dfrac{3}{10} \div \dfrac{11}{12}$

18 $3\dfrac{1}{3} \div \dfrac{2}{7}$

19 $5\dfrac{1}{4} \div \dfrac{14}{15}$

(대분수)÷(진분수)

🐻 계산을 하여 기약분수로 나타내 보세요. (단, 계산 결과는 대분수로 나타냅니다.)

1 $1\dfrac{1}{2} \div \dfrac{4}{7}$

2 $1\dfrac{1}{4} \div \dfrac{5}{9}$

3 $2\dfrac{5}{6} \div \dfrac{3}{8}$

4 $3\dfrac{3}{7} \div \dfrac{6}{11}$

5 $4\dfrac{3}{5} \div \dfrac{2}{3}$

6 $2\dfrac{1}{8} \div \dfrac{3}{4}$

🐻 빈칸에 알맞은 기약분수를 써넣으세요. (단, 계산 결과는 대분수로 나타냅니다.)

7 $2\dfrac{2}{3} \div \dfrac{2}{5} =$

8 $1\dfrac{4}{9} \div \dfrac{5}{6} =$

9 $1\dfrac{3}{7} \div \dfrac{4}{9} =$

10 $3\dfrac{3}{10} \div \dfrac{22}{25} =$

11 $4\dfrac{3}{4} \div \dfrac{2}{7} =$

12 $2\dfrac{4}{13} \div \dfrac{15}{17} =$

분수의 나눗셈

1

관계있는 것끼리 선으로 이어 보세요.

13

$2\dfrac{1}{3} \div \dfrac{2}{5}$ •

$1\dfrac{1}{9} \div \dfrac{4}{7}$ •

• $1\dfrac{17}{18}$

• $5\dfrac{5}{6}$

• $4\dfrac{5}{12}$

14

$4\dfrac{4}{5} \div \dfrac{6}{7}$ •

$3\dfrac{3}{8} \div \dfrac{9}{13}$ •

• $5\dfrac{3}{5}$

• $3\dfrac{1}{2}$

• $4\dfrac{7}{8}$

생활 속 계산

집에서 학교까지의 거리는 학교에서 도서관까지의 거리의 몇 배인지 기약분수로 나타내 보세요.
(단, 계산 결과는 대분수로 나타냅니다.)

15

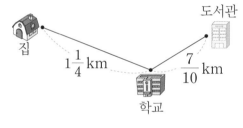

$$1\dfrac{1}{4} \div \dfrac{7}{10} = \boxed{} \text{(배)}$$

16

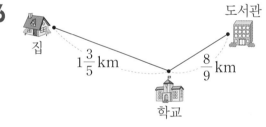

$$1\dfrac{3}{5} \div \boxed{} = \boxed{} \text{(배)}$$

문장 읽고 계산식 세우기

17

$\dfrac{2}{3}$ L의 휘발유로 $8\dfrac{3}{5}$ km를 가는 자동차가 1 L의 휘발유로 갈 수 있는 거리는 몇 km?

식 $8\dfrac{3}{5} \div \boxed{} = \boxed{}$ (km)

18

$\dfrac{18}{25}$ L의 휘발유로 $8\dfrac{1}{4}$ km를 가는 자동차가 1 L의 휘발유로 갈 수 있는 거리는 몇 km?

식 $\boxed{} \div \boxed{} = \boxed{}$ (km)

1

분수의 나눗셈

43

(진분수)÷(대분수)

• $\dfrac{2}{3} \div 1\dfrac{1}{9}$의 계산

$$\dfrac{2}{3} \div 1\dfrac{1}{9} = \dfrac{2}{3} \div \dfrac{10}{9} = \dfrac{2}{3} \times \dfrac{\overset{3}{\cancel{9}}}{\underset{5}{\cancel{10}}} = \dfrac{3}{5}$$

대분수를 가분수로
나타냅니다.

(진분수)÷(대분수)의
몫은 1보다 작아요.

□ 안에 알맞은 수를 써넣으세요.

❶ $\dfrac{1}{2} \div 1\dfrac{1}{4} = \dfrac{1}{2} \div \dfrac{5}{4}$

$= \dfrac{1}{\underset{1}{\cancel{2}}} \times \dfrac{\overset{2}{\cancel{4}}}{\boxed{}} = \dfrac{\boxed{}}{\boxed{}}$

❷ $\dfrac{3}{4} \div 1\dfrac{4}{5} = \dfrac{3}{4} \div \dfrac{9}{5}$

$= \dfrac{3}{4} \times \dfrac{\boxed{}}{\cancel{9}} = \dfrac{\boxed{}}{\boxed{}}$

분수의 나눗셈

❸ $\dfrac{5}{9} \div 2\dfrac{1}{4} = \dfrac{5}{9} \div \dfrac{\boxed{}}{4}$

$= \dfrac{5}{9} \times \dfrac{\boxed{}}{\boxed{}} = \dfrac{\boxed{}}{\boxed{}}$

❹ $\dfrac{6}{7} \div 3\dfrac{2}{3} = \dfrac{6}{7} \div \dfrac{\boxed{}}{3}$

$= \dfrac{6}{7} \times \dfrac{\boxed{}}{\boxed{}} = \dfrac{\boxed{}}{\boxed{}}$

❺ $\dfrac{11}{12} \div 2\dfrac{5}{6} = \dfrac{11}{12} \div \dfrac{\boxed{}}{6}$

$= \dfrac{11}{\cancel{12}} \times \dfrac{\overset{\boxed{}}{\cancel{6}}}{\boxed{}} = \dfrac{\boxed{}}{\boxed{}}$

❻ $\dfrac{7}{15} \div 2\dfrac{2}{7} = \dfrac{7}{15} \div \dfrac{\boxed{}}{7}$

$= \dfrac{7}{15} \times \dfrac{\boxed{}}{\boxed{}} = \dfrac{\boxed{}}{\boxed{}}$

🐻 계산을 하여 기약분수로 나타내 보세요.

⑦ $\dfrac{3}{8} \div 1\dfrac{1}{3}$

⑧ $\dfrac{4}{5} \div 1\dfrac{2}{7}$

⑨ $\dfrac{2}{3} \div 2\dfrac{2}{5}$

⑩ $\dfrac{4}{9} \div 1\dfrac{5}{6}$

⑪ $\dfrac{6}{7} \div 3\dfrac{3}{4}$

⑫ $\dfrac{9}{10} \div 2\dfrac{4}{7}$

⑬ $\dfrac{1}{5} \div 2\dfrac{1}{8}$

⑭ $\dfrac{3}{4} \div 3\dfrac{2}{9}$

⑮ $\dfrac{7}{12} \div 1\dfrac{4}{5}$

⑯ $\dfrac{9}{16} \div 5\dfrac{5}{8}$

⑰ $\dfrac{13}{15} \div 2\dfrac{4}{11}$

⑱ $\dfrac{8}{11} \div 4\dfrac{8}{9}$

⑲ $\dfrac{17}{18} \div 6\dfrac{3}{8}$

⑳ $\dfrac{10}{13} \div 2\dfrac{1}{7}$

(진분수)÷(대분수)

🐻 계산을 하여 기약분수로 나타내 보세요.

1 $\dfrac{3}{7} \div 1\dfrac{2}{5}$

2 $\dfrac{4}{5} \div 1\dfrac{1}{3}$

3 $\dfrac{2}{3} \div 3\dfrac{3}{4}$

4 $\dfrac{5}{8} \div 2\dfrac{1}{6}$

5 $\dfrac{11}{12} \div 2\dfrac{4}{9}$

6 $\dfrac{7}{16} \div 4\dfrac{3}{8}$

🐻 빈칸에 알맞은 기약분수를 써넣으세요.

7 $\dfrac{3}{5}$ → $\div 1\dfrac{1}{6}$ → ☐

8 $\dfrac{3}{4}$ → $\div 1\dfrac{2}{3}$ → ☐

9 $\dfrac{4}{9}$ → $\div 3\dfrac{1}{2}$ → ☐

10 $\dfrac{5}{6}$ → $\div 4\dfrac{3}{8}$ → ☐

11 $\dfrac{3}{10}$ → $\div 1\dfrac{2}{9}$ → ☐

12 $\dfrac{9}{14}$ → $\div 3\dfrac{6}{7}$ → ☐

플러스 계산 연습

빈칸에 알맞은 기약분수를 써넣으세요.

13

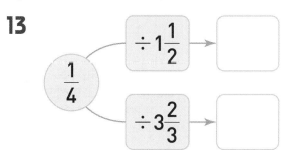

$\dfrac{1}{4}$　$\div 1\dfrac{1}{2}$ →

$\div 3\dfrac{2}{3}$ →

14

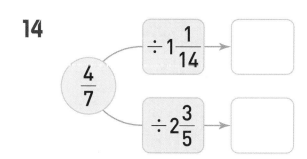

$\dfrac{4}{7}$　$\div 1\dfrac{1}{14}$ →

$\div 2\dfrac{3}{5}$ →

15

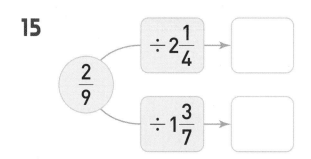

$\dfrac{2}{9}$　$\div 2\dfrac{1}{4}$ →

$\div 1\dfrac{3}{7}$ →

16

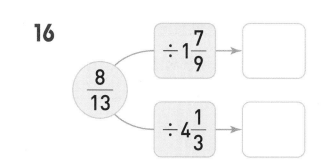

$\dfrac{8}{13}$　$\div 1\dfrac{7}{9}$ →

$\div 4\dfrac{1}{3}$ →

문장 읽고 계산식 세우기

17
튤립은 $\dfrac{3}{5}$ m, 소나무는 $2\dfrac{1}{7}$ m일 때 튤립 높이는 소나무 높이의 몇 배?

식　$\dfrac{3}{5} \div \boxed{} = \boxed{}$ (배)

18
국화는 $\dfrac{5}{16}$ m, 대나무는 $1\dfrac{3}{8}$ m일 때 국화 높이는 대나무 높이의 몇 배?

식　$\boxed{} \div \boxed{} = \boxed{}$ (배)

19
개미가 일정한 빠르기로 $\dfrac{7}{8}$ m를 가는 데 $1\dfrac{1}{2}$분 걸렸을 때, 1분에 간 거리는 몇 m?

식　$\dfrac{7}{8} \div \boxed{} = \boxed{}$ (m)

20
거북이 일정한 빠르기로 $\dfrac{9}{10}$ m를 가는 데 $3\dfrac{3}{4}$분 걸렸을 때, 1분에 간 거리는 몇 m?

식　$\boxed{} \div \boxed{} = \boxed{}$ (m)

1

분수의 나눗셈

47

(대분수)÷(대분수)

• $2\frac{1}{2} \div 1\frac{1}{6}$ 의 계산

$$2\frac{1}{2} \div 1\frac{1}{6} = \frac{5}{2} \div \frac{7}{6} = \frac{5}{\underset{1}{2}} \times \frac{\overset{3}{6}}{7} = \frac{15}{7} = 2\frac{1}{7}$$

대분수를 가분수로 나타냅니다.

계산 결과를 대분수로 나타냅니다.

대분수를 가분수로 나타낸 후 분수의 곱셈으로 나타내 계산해요.

□ 안에 알맞은 수를 써넣으세요.

1 $1\frac{1}{6} \div 2\frac{3}{5} = \dfrac{\Box}{6} \div \dfrac{\Box}{5} = \dfrac{\Box}{6} \times \dfrac{5}{\Box} = \dfrac{\Box}{\Box}$

2 $1\frac{5}{7} \div 1\frac{1}{4} = \dfrac{\Box}{7} \div \dfrac{\Box}{4} = \dfrac{\Box}{7} \times \dfrac{4}{\Box} = \dfrac{\Box}{\Box} = \Box\dfrac{\Box}{\Box}$

3 $2\frac{7}{8} \div 1\frac{1}{16} = \dfrac{\Box}{8} \div \dfrac{\Box}{16} = \dfrac{\Box}{\underset{\Box}{8}} \times \dfrac{\overset{\Box}{16}}{17} = \dfrac{\Box}{17} = \Box\dfrac{\Box}{17}$

4 $3\frac{3}{4} \div 2\frac{1}{7} = \dfrac{15}{\Box} \div \dfrac{15}{\Box} = \dfrac{\overset{1}{15}}{\Box} \times \dfrac{\Box}{\underset{1}{15}} = \dfrac{\Box}{\Box} = \Box\dfrac{\Box}{\Box}$

5 $4\frac{8}{9} \div 1\frac{3}{8} = \dfrac{44}{\Box} \div \dfrac{11}{\Box} = \dfrac{\overset{\Box}{44}}{\Box} \times \dfrac{\Box}{\underset{\Box}{11}} = \dfrac{\Box}{9} = \Box\dfrac{\Box}{9}$

분수의 나눗셈

1

🐻 계산을 하여 기약분수로 나타내 보세요. (단, 계산 결과가 가분수이면 대분수로 나타냅니다.)

⑥ $1\dfrac{4}{5} \div 1\dfrac{2}{3}$

⑦ $2\dfrac{3}{4} \div 1\dfrac{1}{2}$

⑧ $3\dfrac{1}{8} \div 1\dfrac{3}{7}$

⑨ $2\dfrac{1}{3} \div 3\dfrac{1}{4}$

⑩ $1\dfrac{1}{9} \div 3\dfrac{3}{5}$

⑪ $4\dfrac{1}{2} \div 2\dfrac{3}{10}$

⑫ $2\dfrac{5}{6} \div 1\dfrac{3}{4}$

⑬ $5\dfrac{2}{5} \div 1\dfrac{1}{8}$

⑭ $4\dfrac{1}{11} \div 2\dfrac{4}{7}$

⑮ $3\dfrac{5}{9} \div 5\dfrac{1}{3}$

⑯ $2\dfrac{1}{10} \div 5\dfrac{1}{2}$

⑰ $3\dfrac{1}{9} \div 1\dfrac{2}{5}$

⑱ $1\dfrac{5}{6} \div 3\dfrac{2}{9}$

⑲ $6\dfrac{1}{4} \div 2\dfrac{1}{7}$

1

분수의 나눗셈

49

(대분수)÷(대분수)

계산을 하여 기약분수로 나타내 보세요. (단, 계산 결과가 가분수이면 대분수로 나타냅니다.)

1 $2\dfrac{2}{7} \div 1\dfrac{1}{3}$

2 $1\dfrac{3}{4} \div 3\dfrac{4}{5}$

3 $5\dfrac{5}{8} \div 2\dfrac{7}{9}$

4 $4\dfrac{5}{6} \div 4\dfrac{11}{12}$

5 $2\dfrac{1}{5} \div 6\dfrac{7}{8}$

6 $7\dfrac{2}{9} \div 3\dfrac{1}{4}$

빈칸에 알맞은 기약분수를 써넣으세요. (단, 계산 결과가 가분수이면 대분수로 나타냅니다.)

7 $3\dfrac{1}{3} \div 1\dfrac{4}{5} =$

8 $5\dfrac{3}{4} \div 3\dfrac{2}{7} =$

9 $4\dfrac{3}{8} \div 2\dfrac{1}{3} =$

10 $2\dfrac{1}{2} \div 6\dfrac{1}{9} =$

11 $5\dfrac{4}{7} \div 1\dfrac{3}{10} =$

12 $7\dfrac{7}{12} \div 1\dfrac{1}{6} =$

분수의 나눗셈

생활 속 계산

일정한 빠르기로 수확한 채소입니다. 1분 동안 수확한 채소의 무게는 몇 kg인지 기약분수로 나타내 보세요. (단, 계산 결과가 가분수이면 대분수로 나타냅니다.)

13

$4\frac{2}{3}$ kg

$1\frac{2}{5}$분

$4\frac{2}{3} \div 1\frac{2}{5} = \boxed{}$ (kg)

14

$3\frac{1}{4}$ kg

$2\frac{5}{6}$분

$3\frac{1}{4} \div \boxed{} = \boxed{}$ (kg)

15

$7\frac{1}{8}$ kg

$5\frac{1}{15}$분

$\boxed{} \div 5\frac{1}{15} = \boxed{}$ (kg)

16

$9\frac{5}{8}$ kg

$3\frac{2}{3}$분

$\boxed{} \div \boxed{} = \boxed{}$ (kg)

문장 읽고 계산식 세우기

17
우유는 $1\frac{4}{5}$ L, 주스는 $1\frac{1}{4}$ L 있을 때 우유 들이는 주스 들이의 몇 배?

 식 $1\frac{4}{5} \div 1\frac{1}{4} = \boxed{}$ (배)

18
콜라는 $2\frac{5}{6}$ L, 사이다는 $1\frac{7}{10}$ L 있을 때 콜라 들이는 사이다 들이의 몇 배?

 식 $2\frac{5}{6} \div \boxed{} = \boxed{}$ (배)

19
굵기가 일정한 쇠막대 $2\frac{1}{7}$ m의 무게가 $1\frac{1}{8}$ kg일 때, 1 m의 무게는 몇 kg?

식 $1\frac{1}{8} \div \boxed{} = \boxed{}$ (kg)

20
굵기가 일정한 쇠막대 $3\frac{3}{5}$ m의 무게가 $6\frac{3}{4}$ kg일 때, 1 m의 무게는 몇 kg?

식 $\boxed{} \div 3\frac{3}{5} = \boxed{}$ (kg)

세 수의 계산

- $1\frac{2}{3} \div \frac{7}{9} \times \frac{2}{5}$ 의 계산

$$1\frac{2}{3} \div \frac{7}{9} \times \frac{2}{5} = \frac{5}{3} \div \frac{7}{9} \times \frac{2}{5} = \frac{\overset{1}{\cancel{5}}}{\underset{1}{\cancel{3}}} \times \frac{\overset{3}{\cancel{9}}}{7} \times \frac{2}{\underset{1}{\cancel{5}}} = \frac{6}{7}$$

- $\frac{2}{9} \div 1\frac{1}{4} \div \frac{10}{11}$ 의 계산

$$\frac{2}{9} \div 1\frac{1}{4} \div \frac{10}{11} = \frac{2}{9} \div \frac{5}{4} \div \frac{10}{11} = \frac{2}{9} \times \frac{4}{5} \times \frac{11}{\underset{5}{\cancel{10}}} = \frac{44}{225}$$

분수의 나눗셈

□ 안에 알맞은 수를 써넣으세요.

① $\frac{3}{4} \div \frac{2}{5} \times \frac{1}{7} = \frac{3}{4} \times \frac{5}{2} \times \frac{1}{7} = \dfrac{\boxed{}}{\boxed{}}$

② $\frac{1}{8} \div \frac{2}{3} \times \frac{5}{6} = \frac{1}{8} \times \frac{\overset{\boxed{}}{\cancel{3}}}{2} \times \frac{5}{\underset{\boxed{}}{\cancel{6}}} = \dfrac{\boxed{}}{\boxed{}}$

52

③ $\frac{4}{7} \times \frac{1}{9} \div \frac{3}{5} = \frac{4}{7} \times \frac{1}{9} \times \dfrac{\boxed{}}{\boxed{}} = \dfrac{\boxed{}}{189}$

④ $\frac{2}{5} \div \frac{3}{4} \div \frac{5}{7} = \frac{2}{5} \times \frac{4}{3} \times \dfrac{\boxed{}}{\boxed{}} = \dfrac{\boxed{}}{\boxed{}}$

⑤ $1\frac{2}{9} \times 1\frac{1}{2} \div \frac{2}{5} = \dfrac{\boxed{}}{9} \times \frac{3}{2} \div \frac{2}{5} = \dfrac{\boxed{}}{\underset{3}{\cancel{9}}} \times \frac{3}{2} \times \dfrac{\boxed{}}{\boxed{}} = \dfrac{\boxed{}}{\boxed{}} = \boxed{}\dfrac{\boxed{}}{\boxed{}}$

⑥ $3\frac{3}{4} \div \frac{6}{7} \div 2\frac{2}{3} = \frac{15}{4} \div \frac{6}{7} \div \dfrac{\boxed{}}{3} = \frac{15}{4} \times \frac{7}{\cancel{6}} \times \frac{3}{\boxed{}} = \dfrac{\boxed{}}{\boxed{}} = \boxed{}\dfrac{\boxed{}}{\boxed{}}$

기초 계산 연습

맞은 개수 　 / 20개

▶ 정답과 해설 8쪽

계산을 하여 기약분수로 나타내 보세요. (단, 계산 결과가 가분수이면 대분수로 나타냅니다.)

7 $\dfrac{2}{3} \div \dfrac{4}{5} \times \dfrac{1}{7}$

8 $\dfrac{5}{6} \times \dfrac{1}{4} \div \dfrac{2}{9}$

9 $\dfrac{3}{8} \div \dfrac{1}{3} \div \dfrac{4}{7}$

10 $\dfrac{1}{2} \div \dfrac{3}{5} \div \dfrac{7}{8}$

11 $\dfrac{7}{12} \div \dfrac{3}{4} \times \dfrac{5}{8}$

12 $\dfrac{9}{10} \times \dfrac{1}{11} \div \dfrac{5}{6}$

13 $1\dfrac{4}{9} \times \dfrac{2}{3} \div \dfrac{4}{5}$

14 $2\dfrac{1}{7} \div \dfrac{3}{10} \times \dfrac{8}{15}$

15 $\dfrac{5}{8} \div 3\dfrac{1}{3} \times \dfrac{3}{4}$

16 $\dfrac{14}{15} \times 1\dfrac{1}{3} \div \dfrac{7}{9}$

17 $\dfrac{6}{7} \div \dfrac{3}{11} \div 2\dfrac{1}{2}$

18 $\dfrac{4}{5} \div \dfrac{8}{9} \times 1\dfrac{3}{4}$

19 $4\dfrac{3}{8} \div \dfrac{2}{9} \div 1\dfrac{2}{5}$

20 $3\dfrac{4}{7} \div \dfrac{10}{13} \div \dfrac{2}{3}$

세 수의 계산

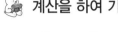

🐻 계산을 하여 기약분수로 나타내 보세요. (단, 계산 결과가 가분수이면 대분수로 나타냅니다.)

1 $\dfrac{1}{5} \times 1\dfrac{3}{8} \div \dfrac{3}{4}$

2 $\dfrac{5}{6} \div \dfrac{2}{3} \div \dfrac{7}{10}$

3 $\dfrac{1}{3} \div \dfrac{9}{14} \times \dfrac{5}{7}$

4 $\dfrac{8}{9} \times \dfrac{2}{7} \div 2\dfrac{2}{5}$

5 $3\dfrac{1}{4} \div \dfrac{5}{9} \div \dfrac{1}{2}$

6 $5\dfrac{5}{8} \div 1\dfrac{2}{13} \times \dfrac{1}{6}$

1
분수의 나눗셈

🐻 빈칸에 알맞은 기약분수를 써넣으세요. (단, 계산 결과가 가분수이면 대분수로 나타냅니다.)

7

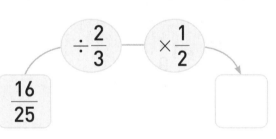

8

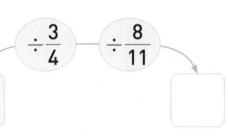

9

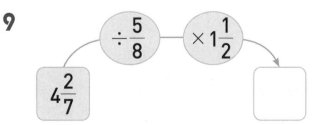

10

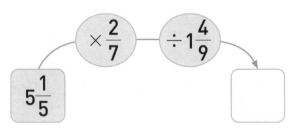

생활 속 계산

🐻 사다리 타기를 해서 빈칸에 알맞은 기약분수를 써넣으세요. (단, 계산 결과가 가분수이면 대분수로 나타냅니다.)

11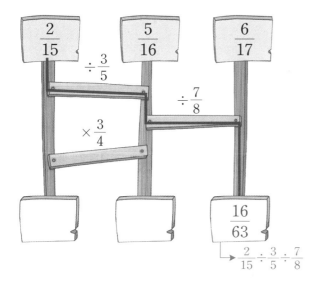

$$\frac{2}{15} \div \frac{3}{5} \div \frac{7}{8}$$

12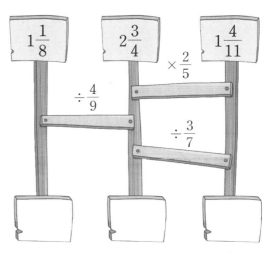

문장 읽고 계산식 세우기

13 삼각형의 넓이가 $\frac{13}{16}$ m²이고 밑변의 길이가 $\frac{3}{4}$ m일 때, 높이는 몇 m?

식 $\dfrac{13}{16} \times 2 \div \dfrac{3}{4} = \boxed{}$ (m)

14 삼각형의 넓이가 $3\frac{1}{9}$ m²이고 밑변의 길이가 $1\frac{1}{6}$ m일 때, 높이는 몇 m?

식 $3\dfrac{1}{9} \times 2 \div \boxed{} = \boxed{}$ (m)

15 부피가 $\frac{4}{5}$ m³인 직육면체의 가로가 $\frac{3}{4}$ m, 세로가 $\frac{6}{7}$ m일 때 높이는 몇 m?

식 $\dfrac{4}{5} \div \dfrac{3}{4} \div \dfrac{6}{7} = \boxed{}$ (m)

16 부피가 $6\frac{3}{10}$ m³인 직육면체의 가로가 $2\frac{1}{4}$ m, 세로가 $\frac{7}{9}$ m일 때 높이는 몇 m?

식 $6\dfrac{3}{10} \div 2\dfrac{1}{4} \div \dfrac{7}{9} = \boxed{}$ (m)

 계산해 보세요.

① $4 \div \dfrac{4}{9}$

② $6 \div \dfrac{3}{7}$

③ $10 \div \dfrac{2}{5}$

④ $16 \div \dfrac{2}{11}$

⑤ $21 \div \dfrac{7}{8}$

⑥ $36 \div \dfrac{6}{13}$

분수의 나눗셈

계산을 하여 기약분수로 나타내 보세요. (단, 계산 결과가 가분수이면 대분수로 나타냅니다.)

⑦ $5 \div \dfrac{4}{9}$

⑧ $3 \div 1\dfrac{1}{10}$

56

⑨ $2\dfrac{1}{6} \div \dfrac{3}{4}$

⑩ $\dfrac{2}{9} \div 2\dfrac{4}{5}$

⑪ $5\dfrac{1}{7} \div 2\dfrac{2}{11}$

⑫ $3\dfrac{1}{2} \div 6\dfrac{1}{8}$

⑬ $\dfrac{3}{5} \times \dfrac{8}{9} \div \dfrac{2}{7}$

⑭ $\dfrac{3}{10} \div \dfrac{5}{12} \div \dfrac{1}{3}$

🐻 빈칸에 알맞은 기약분수를 써넣으세요. (단, 계산 결과가 가분수이면 대분수로 나타냅니다.)

15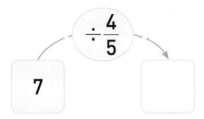

16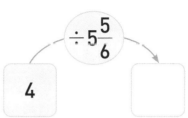

17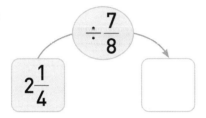

18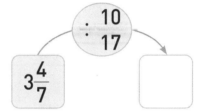

19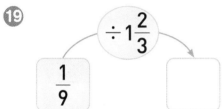

20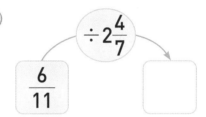

21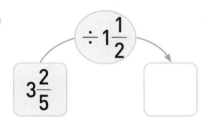

22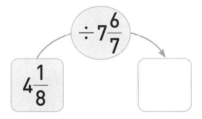

23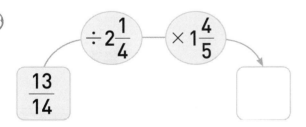

24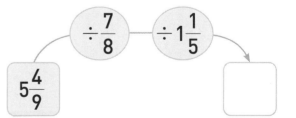

제한 시간 안에 정확하게
모두 풀었다면 여러분은 진정한 계산왕!

문장제 문제 도전하기

 계산해 보세요.

1 $\dfrac{7}{10} \div \dfrac{1}{10} = \boxed{}$ →

망고 주스를 모두 몇 명이 나누어 마실 수 있을까요?

망고 주스 $\dfrac{7}{10}$ L

한 명에게 $\dfrac{1}{10}$ L씩

이 분수의 나눗셈식이 실생활에서 어떤 상황에 이용될까요?

식 $\dfrac{7}{10} \div \boxed{} = \boxed{}$

답 _____ 명

2 $\dfrac{8}{9} \div \dfrac{2}{9} = \boxed{}$ →

나무막대를 $\dfrac{2}{9}$ m씩 자르면 모두 몇 도막이 될까요?

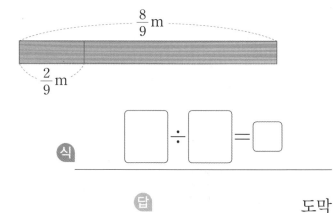

$\dfrac{8}{9}$ m

$\dfrac{2}{9}$ m

식 $\boxed{} \div \boxed{} = \boxed{}$

답 _____ 도막

3 $\dfrac{12}{25} \div \dfrac{2}{25} = \boxed{}$ →

상자에 들어 있는 지우개의 무게가 $\dfrac{12}{25}$ kg일 때 지우개는 모두 몇 개일까요?

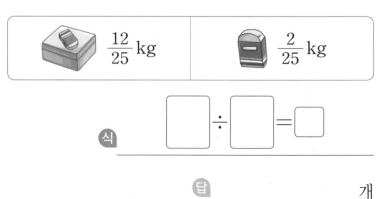

$\dfrac{12}{25}$ kg $\dfrac{2}{25}$ kg

식 $\boxed{} \div \boxed{} = \boxed{}$

답 _____ 개

문장을 읽고 알맞은 나눗셈식을 세워 답을 구해 보자!

계산을 하여 기약분수로 나타내 보세요. (단, 계산 결과가 가분수이면 대분수로 나타냅니다.)

4 세로가 $\dfrac{3}{4}$ m이고 넓이가 **2** m²인 직사각형입니다.

가로는 몇 m일까요?

$\dfrac{3}{4}$ m ➡ $2 \div \boxed{} = \boxed{}$ (m)

5 높이가 $1\dfrac{3}{5}$ m이고 넓이가 **4** m²인 평행사변형입니다.

밑변의 길이는 몇 m일까요?

$1\dfrac{3}{5}$ m ➡ $\boxed{} \div \boxed{} = \boxed{}$ (m)

6 밑변의 길이가 $2\dfrac{5}{8}$ m이고 넓이가 **5** m²인 평행사변형입니다.

높이는 몇 m일까요?

$2\dfrac{5}{8}$ m ➡ $\boxed{} \div \boxed{} = \boxed{}$ (m)

문장제 문제 도전하기

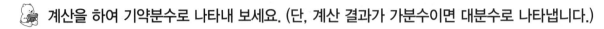

🐻 계산을 하여 기약분수로 나타내 보세요. (단, 계산 결과가 가분수이면 대분수로 나타냅니다.)

7 $2\frac{7}{10} \div 1\frac{1}{8} = \boxed{}$ ➡ 키위청 무게는 블루베리청 무게의 몇 배일까요?

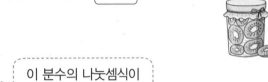

이 분수의 나눗셈식이 실생활에서 어떤 상황에 이용될까요?

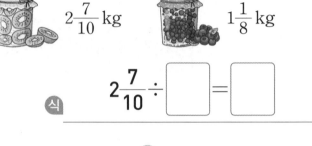

$2\frac{7}{10}$ kg $1\frac{1}{8}$ kg

식 $2\frac{7}{10} \div \boxed{} = \boxed{}$

답 _____ 배

8 $1\frac{1}{4} \div \frac{7}{12} = \boxed{}$ ➡ 주영이가 텔레비전을 시청한 시간은 저녁 식사를 한 시간의 몇 배일까요?

텔레비전을 $1\frac{1}{4}$시간 시청했어요.

저녁 식사를 $\frac{7}{12}$시간 동안 했어요.

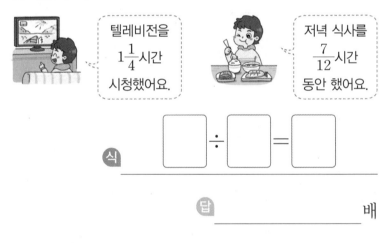

식 $\boxed{} \div \boxed{} = \boxed{}$

답 _____ 배

9 $\frac{3}{5} \div 3\frac{9}{25} = \boxed{}$ ➡ 일정한 빠르기로 갔을 때 1분에 간 거리는 몇 km일까요?

$3\frac{9}{25}$분 걸렸어요.

$\frac{3}{5}$ km

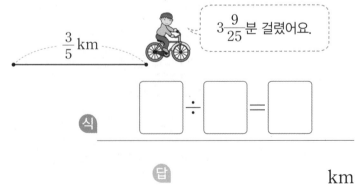

식 $\boxed{} \div \boxed{} = \boxed{}$

답 _____ km

문장을 읽고 알맞은 나눗셈식을 세워 답을 구해 보자!

10 귤청( )은 $1\dfrac{1}{2}$ kg, 레몬청( )은 $1\dfrac{3}{5}$ kg 있습니다.

귤청 무게는 레몬청 무게의 몇 배일까요?

$$1\dfrac{1}{2} \div \boxed{} = \boxed{} \text{(배)}$$

11 주영이는 공부를 $4\dfrac{2}{3}$ 시간 했고, 피아노를 $\dfrac{7}{8}$ 시간 쳤습니다.

주영이가 공부한 시간은 피아노를 친 시간의 몇 배일까요?

$$\boxed{} \div \boxed{} = \boxed{} \text{(배)}$$

12 자동차가 일정한 빠르기로 $5\dfrac{5}{8}$ km를 가는 데 $3\dfrac{9}{16}$ 분이 걸렸습니다.

1분에 간 거리는 몇 km일까요?

$$\boxed{} \div \boxed{} = \boxed{} \text{(km)}$$

창의·융합·코딩·도전하기

밀로의 비너스 조각상

 밀로의 비너스 하반신의 길이를 구하세요. (단, 계산 결과가 가분수이면 대분수로 나타냅니다.)

(하반신의 길이)=(상반신의 길이)÷$\frac{5}{8}$ 를 이용하여 하반신의 길이를 기약분수로 나타내요.

식 $\frac{51}{65} \div \boxed{} = \boxed{}$

답 _____ m

2 보기 와 같이 로봇이 두 분수를 비교하여 계산을 합니다.
로봇이 말하는 기약분수를 알맞게 써넣으세요.

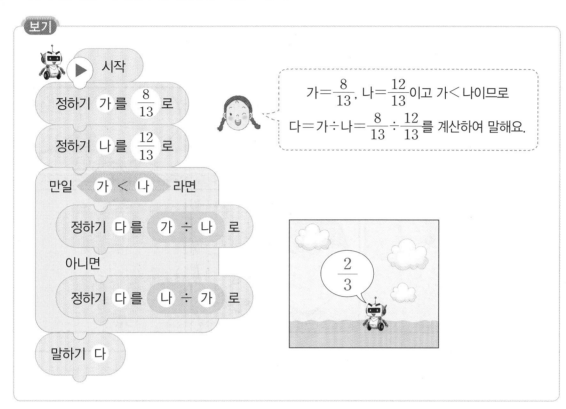

보기

시작

정하기 가 를 $\frac{8}{13}$ 로

정하기 나 를 $\frac{12}{13}$ 로

만일 가 < 나 라면

  정하기 다 를 가 ÷ 나 로

아니면

  정하기 다 를 나 ÷ 가 로

말하기 다

가$=\frac{8}{13}$, 나$=\frac{12}{13}$이고 가<나이므로

다=가÷나=$\frac{8}{13}÷\frac{12}{13}$를 계산하여 말해요.

$\frac{2}{3}$

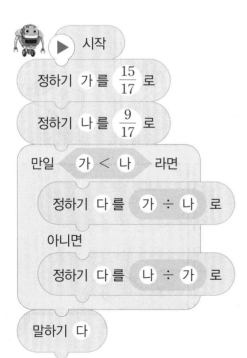

시작

정하기 가 를 $\frac{15}{17}$ 로

정하기 나 를 $\frac{9}{17}$ 로

만일 가 < 나 라면

  정하기 다 를 가 ÷ 나 로

아니면

  정하기 다 를 나 ÷ 가 로

말하기 다

1

분수의 나눗셈

63

2 소수의 나눗셈 (1)

사막?
헉!!
끄으응

어떻게 된 거지?

여러분은 게임 안으로 이동했습니다.

근데……
넌 누구니?

안녕하세요. 전 게임을 도와주는 '문'이라고 합니다.

대체 그 삐에로는 누구야?

삐에로는 악독한 바이러스입니다.

게임 세계를 혼돈에 빠뜨리려고 하죠.

이런! 그럼 큰일이잖아!!

내가 그 바이러스를 막겠어!

그럴 필요 없습니다! 그 임무는 제가 맡고 있습니다.

플레이어는 무사히 게임에서 빠져 나가기만 하면 됩니다.

밥솥! 다시 삐에로를 찾아봐!

이미 찾고 있지!

이번에 배울 내용을 알아볼까요?

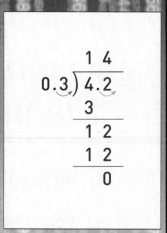

(소수 한 자리 수)÷(소수 한 자리 수) ①

이렇게 해결하자

• 4.5÷0.3의 계산

(1) 분수의 나눗셈으로 바꾸어 계산하기

$$4.5 \div 0.3 = \frac{45}{10} \div \frac{3}{10}$$

분모가 10인 분수로 바꾸기

$$= 45 \div 3 = 15$$

(2) 자연수의 나눗셈을 이용하여 계산하기

$$4.5 \div 0.3 = 15$$

10배   10배

$$45 \div 3 = 15$$

🐻 자연수의 나눗셈을 이용하여 소수의 나눗셈을 계산해 보세요.

1   2.8÷0.7

10배   10배

28 ÷ 7 = ☐

➡ 2.8÷0.7 = ☐

2   6.5÷1.3

10배   10배

65 ÷ 13 = ☐

➡ 6.5÷1.3 = ☐

3   1.2÷0.4 = ☐
    12÷4 = ☐

4   6.4÷0.8 = ☐
    64÷8 = ☐

5   7.8÷0.6 = ☐
    78÷6 = ☐

6   15.3÷0.9 = ☐
    153÷9 = ☐

7   2.4÷1.2 = ☐
    24÷12 = ☐

8   9.6÷1.6 = ☐
    96÷16 = ☐

9   13.3÷1.9 = ☐
    133÷19 = ☐

10   29.4÷2.1 = ☐
    294÷21 = ☐

🐻 계산해 보세요.

⑪ $2.1 \div 0.3 = \dfrac{21}{10} \div \dfrac{\boxed{}}{10} = 21 \div \boxed{} = \boxed{}$

⑫ $5.2 \div 1.3 = \dfrac{52}{10} \div \dfrac{\boxed{}}{10} = 52 \div \boxed{} = \boxed{}$

⑬ $8.4 \div 0.6 = \dfrac{\boxed{}}{10} \div \dfrac{6}{10} = \boxed{} \div 6 = \boxed{}$

⑭ $33.6 \div 2.8 = \dfrac{\boxed{}}{10} \div \dfrac{28}{10} = \boxed{} \div \boxed{} = \boxed{}$

⑮ $1.5 \div 0.5$

⑯ $7.2 \div 0.9$

⑰ $9.6 \div 0.8$

⑱ $9.8 \div 1.4$

⑲ $19.8 \div 2.2$

⑳ $19.5 \div 1.5$

㉑ $42.9 \div 3.9$

㉒ $64.8 \div 2.7$

(소수 한 자리 수)÷(소수 한 자리 수) ①

보기와 같이 계산해 보세요.

보기
$$3.2 \div 0.4 = \frac{32}{10} \div \frac{4}{10} = 32 \div 4 = 8$$

1 $3.6 \div 0.6$

2 $2.8 \div 0.2$

3 $8.4 \div 1.2$

4 $17.1 \div 0.9$

5 $9.6 \div 2.4$

6 $20.4 \div 1.7$

빈칸에 알맞은 수를 써넣으세요.

7 1.8 → ÷0.3 → ☐

8 5.6 → ÷0.7 → ☐

9 10.5 → ÷1.5 → ☐

10 41.8 → ÷1.9 → ☐

11 11.5 → ÷2.3 → ☐

12 47.6 → ÷3.4 → ☐

생활 속 계산

🐻 주어진 교통수단으로 일정한 빠르기로 이동할 때 1분 동안 이동한 거리는 몇 m인지 구하세요.

13

1.5분에 49.5 m

$49.5 \div 1.5 = \boxed{}$ (m)

14

2.3분에 103.5 m

$103.5 \div 2.3 = \boxed{}$ (m)

15

1.6분에 38.4 m

$38.4 \div 1.6 = \boxed{}$ (m)

16

3.2분에 179.2 m

$179.2 \div 3.2 = \boxed{}$ (m)

2

소수의 나눗셈 ⑴

69

문장 읽고 계산식 세우기

17 지점토 2.4 kg을 한 명에게 0.3 kg씩 나누어 주면 모두 몇 명에게 줄 수 있는지?

식 $2.4 \div 0.3 = \boxed{}$ (명)

18 지점토 5.6 kg을 한 명에게 0.4 kg씩 나누어 주면 모두 몇 명에게 줄 수 있는지?

식 $5.6 \div 0.4 = \boxed{}$ (명)

19 넓이가 22.5 m²인 직사각형의 가로가 2.5 m일 때, 세로는 몇 m?

식 $22.5 \div \boxed{} = \boxed{}$ (m)

20 넓이가 70.2 m²인 직사각형의 세로가 3.9 m일 때, 가로는 몇 m?

식 $70.2 \div \boxed{} = \boxed{}$ (m)

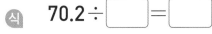

(소수 한 자리 수)÷(소수 한 자리 수) ②

이렇게 해결하자

- 4.5÷0.3을 세로로 계산하기

```
          1 5
0.3 ) 4.5
        3
        1 5
        1 5
          0
```

소수점을 각각 오른쪽으로 한 자리씩 옮겨서 계산하고, 몫의 소수점은 옮긴 소수점의 위치와 같게 찍어요.

📖 계산해 보세요.

①
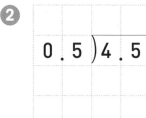
```
0.4 ) 2.8
```

②
```
0.5 ) 4.5
```

③
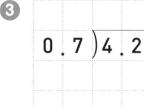
```
0.7 ) 4.2
```

④
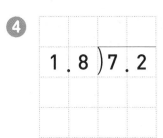
```
1.8 ) 7.2
```

⑤
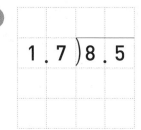
```
1.7 ) 8.5
```

⑥
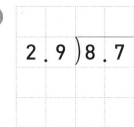
```
2.9 ) 8.7
```

⑦
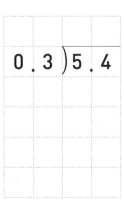
```
0.3 ) 5.4
```

⑧
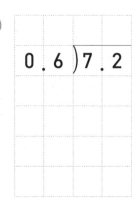
```
0.6 ) 7.2
```

⑨
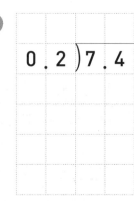
```
0.2 ) 7.4
```

기초 계산 연습

맞은 개수   /21개

▶ 정답과 해설 10~11쪽

⑩
$$0.5\overline{)8.5}$$

⑪
$$0.7\overline{)9.1}$$

⑫
$$0.4\overline{)9.2}$$

⑬
$$0.8\overline{)16.8}$$

⑭
$$0.9\overline{)31.5}$$

⑮
$$1.6\overline{)44.8}$$

⑯
$$2.5\overline{)27.5}$$

⑰
$$1.9\overline{)26.6}$$

⑱
$$2.4\overline{)67.2}$$

⑲
$$3.6\overline{)57.6}$$

⑳
$$3.1\overline{)83.7}$$

㉑
$$4.2\overline{)79.8}$$

2

소수의 나눗셈 (1)

71

(소수 한 자리 수)÷(소수 한 자리 수) ②

🐻 계산해 보세요.

1 0.8)2.4

2 0.9)3.6

3 1.4)5.6

4 2.3)2 7.6

5 3.7)2 5.9

6 2.6)6 2.4

7 0.2)3.4

8 1.5)2 5.5

9 3.2)8 9.6

🐻 빈칸에 알맞은 수를 써넣으세요.

10
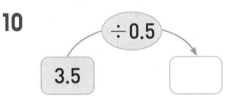

11
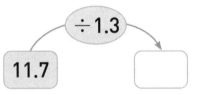

12
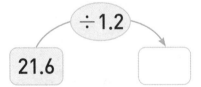

13
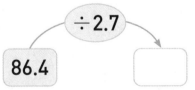

14
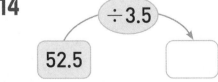

15
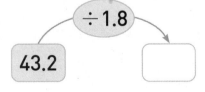

빈칸에 알맞은 수를 써넣으세요.

16

÷		
43.2	1.6	
4.8	0.4	

17

÷		
73.5	4.9	
2.1	0.7	

생활 속 계산

곡식을 몇 개의 자루에 나누어 담을 수 있는지 구하세요.

18

 13.2 kg

한 자루에 3.3 kg씩

$13.2 \div 3.3 = \boxed{}$ (개)

19

 24.3 kg

한 자루에 2.7 kg씩

$24.3 \div \boxed{} = \boxed{}$ (개)

문장 읽고 계산식 세우기

20 굵기가 일정한 막대 0.2 m의 무게가 1.6 kg일 때, 1 m의 무게는 몇 kg?

식 $1.6 \div 0.2 = \boxed{}$ (kg)

21 굵기가 일정한 막대 1.3 m의 무게가 18.2 kg일 때, 1 m의 무게는 몇 kg?

식 $18.2 \div \boxed{} = \boxed{}$ (kg)

22 한 변의 길이가 3.4 cm인 정다각형의 둘레가 20.4 cm일 때, 변은 모두 몇 개?

식 $20.4 \div \boxed{} = \boxed{}$ (개)

23 한 변의 길이가 4.6 cm인 정다각형의 둘레가 55.2 cm일 때, 변은 모두 몇 개?

식 $\boxed{} \div 4.6 = \boxed{}$ (개)

(소수 두 자리 수)÷(소수 두 자리 수) ①

이렇게 해결하자

• 2.08÷0.16의 계산

(1) 분수의 나눗셈으로 바꾸어 계산하기

$$2.08 \div 0.16 = \frac{208}{100} \div \frac{16}{100}$$

분모가 100인
분수로 바꾸기

$$= 208 \div 16 = 13$$

(2) 자연수의 나눗셈을 이용하여 계산하기

$$2.08 \div 0.16 = 13$$

100배   100배

$$208 \div 16 = 13$$

자연수의 나눗셈을 이용하여 소수의 나눗셈을 계산해 보세요.

① $0.12 \div 0.03$

100배   100배

$12 \div 3 = \boxed{}$

➡ $0.12 \div 0.03 = \boxed{}$

② $1.53 \div 0.17$

100배   100배

$153 \div 17 = \boxed{}$

➡ $1.53 \div 0.17 = \boxed{}$

③ $1.02 \div 0.06 = \boxed{}$

$102 \div 6 = \boxed{}$

④ $0.27 \div 0.09 = \boxed{}$

$27 \div 9 = \boxed{}$

⑤ $0.98 \div 0.14 = \boxed{}$

$98 \div 14 = \boxed{}$

⑥ $1.35 \div 0.15 = \boxed{}$

$135 \div 15 = \boxed{}$

⑦ $1.84 \div 0.23 = \boxed{}$

$184 \div 23 = \boxed{}$

⑧ $3.36 \div 0.28 = \boxed{}$

$336 \div 28 = \boxed{}$

⑨ $7.56 \div 1.08 = \boxed{}$

$756 \div 108 = \boxed{}$

⑩ $19.05 \div 1.27 = \boxed{}$

$1905 \div 127 = \boxed{}$

🐻 계산해 보세요.

⑪ $1.19 \div 0.07 = \dfrac{119}{100} \div \dfrac{\boxed{}}{100} = 119 \div \boxed{} = \boxed{}$

⑫ $1.52 \div 0.19 = \dfrac{152}{100} \div \dfrac{\boxed{}}{100} = 152 \div \boxed{} = \boxed{}$

⑬ $7.82 \div 0.34 = \dfrac{\boxed{}}{100} \div \dfrac{34}{100} = \boxed{} \div 34 = \boxed{}$

⑭ $17.04 \div 1.42 = \dfrac{\boxed{}}{100} \div \dfrac{142}{100} = \boxed{} \div 142 = \boxed{}$

⑮ $0.36 \div 0.04$

⑯ $1.12 \div 0.08$

⑰ $0.85 \div 0.05$

⑱ $4.68 \div 0.26$

⑲ $3.77 \div 0.13$

⑳ $6.15 \div 0.41$

㉑ $8.12 \div 1.16$

㉒ $34.45 \div 2.65$

(소수 두 자리 수)÷(소수 두 자리 수) ①

🐻 보기와 같이 계산해 보세요.

보기

$$1.92 \div 0.32 = \frac{192}{100} \div \frac{32}{100} = 192 \div 32 = 6$$

1 0.72÷0.12

2 2.16÷0.18

3 4.24÷0.53

4 15.48÷0.36

5 18.45÷1.23

6 9.56÷2.39

🐻 빈칸에 알맞은 수를 써넣으세요.

7 ─── ÷ ───▶

| 1.75 | 0.25 | |

8 ─── ÷ ───▶

| 2.66 | 0.07 | |

9 ─── ÷ ───▶

| 3.48 | 0.29 | |

10 ─── ÷ ───▶

| 5.12 | 0.64 | |

11 ─── ÷ ───▶

| 32.34 | 1.54 | |

12 ─── ÷ ───▶

| 42.84 | 3.06 | |

플러스 계산 연습

생활 속 계산

🐻 상자에 담겨 있는 채소의 무게를 보고 각 상자에 담긴 채소는 몇 개인지 구하세요. (단, 채소 1개의 무게는 종류별로 각각 같습니다.)

13
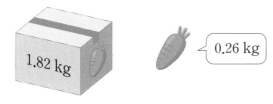

1.82 kg   0.26 kg

$1.82 \div 0.26 =$ ☐ (개)

14

2.32 kg   0.29 kg

$2.32 \div 0.29 =$ ☐ (개)

15

1.95 kg   0.15 kg

☐ 개

16
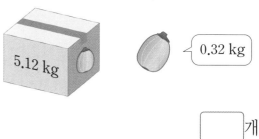

5.12 kg   0.32 kg

☐ 개

문장 읽고 계산식 세우기

17 사료 1.02 kg을 강아지 한 마리에게 0.17 kg씩 나누어 주면 모두 몇 마리에게 줄 수 있는지?

식 $1.02 \div 0.17 =$ ☐ (마리)

18 사료 3.12 kg을 고양이 한 마리에게 0.24 kg씩 나누어 주면 모두 몇 마리에게 줄 수 있는지?

식 $3.12 \div$ ☐ $=$ ☐ (마리)

19 백설탕 6.08 kg과 흑설탕 0.38 kg이 있을 때 백설탕 무게는 흑설탕 무게의 몇 배?

식 $6.08 \div$ ☐ $=$ ☐ (배)

20 밀가루 10.01 kg과 쌀가루 1.43 kg이 있을 때 밀가루 무게는 쌀가루 무게의 몇 배?

식 ☐ $\div 1.43 =$ ☐ (배)

4 일차

(소수 두 자리 수)÷(소수 두 자리 수) ②

 이렇게 해결하자

• 2.08÷0.16을 세로로 계산하기

```
           1 3
  0.16 ) 2.08
         1 6
           4 8
           4 8
             0
```

소수점을 각각 오른쪽으로
두 자리씩 옮겨서 계산하고,
몫의 소수점은 옮긴 소수점의
위치와 같게 찍어요.

🐻 계산해 보세요.

1

```
0.04 ) 0.28
```

2

```
0.19 ) 0.76
```

3

```
0.37 ) 2.96
```

4

```
1.21 ) 7.26
```

5

```
2.06 ) 6.18
```

6

```
1.85 ) 9.25
```

7

```
0.08 ) 4.48
```

8

```
0.13 ) 2.73
```

9

```
0.42 ) 4.62
```

⑩ 0.21)5.25

⑪ 0.35)6.65

⑫ 0.49)6.37

⑬ 0.12)4.32

⑭ 0.27)4.05

⑮ 0.68)8.16

2

소수의 나눗셈 (1)

⑯ 1.57)26.69

⑰ 2.31)55.44

79

⑱ 1.48)42.92

⑲ 3.64)58.24

(소수 두 자리 수)÷(소수 두 자리 수) ②

🐻 계산해 보세요.

1 $0.05\overline{)0.45}$　　　**2** $0.16\overline{)0.96}$　　　**3** $0.31\overline{)3.72}$

4 $0.72\overline{)13.68}$　　　**5** $1.19\overline{)16.66}$　　　**6** $2.07\overline{)47.61}$

🐻 빈칸에 알맞은 수를 써넣으세요.

7 | 1.44 | ÷0.24 | |

8 | 0.76 | ÷0.02 | |

9 | 4.86 | ÷0.18 | |

10 | 4.95 | ÷0.33 | |

11 | 27.83 | ÷2.53 | |

12 | 51.15 | ÷1.65 | |

🐻 빈칸에 알맞은 수를 써넣으세요.

13

÷ →

÷	5.04	0.84
	0.56	0.14

14

÷ →

÷	13.44	0.64
	0.96	0.08

생활 속 계산

🐻 금 1돈은 3.75 g입니다. 장신구는 금 몇 돈인지 구하세요.

15

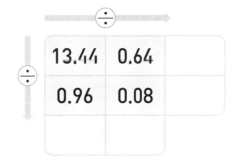

18.75 g

18.75 ÷ 3.75 = ☐ (돈)

16

11.25 g

11.25 ÷ 3.75 = ☐ (돈)

문장 읽고 계산식 세우기

17 참기름 4.32 L를 한 통에 0.54 L씩 나누어 담으면 모두 몇 통에 담을 수 있는지?

식   4.32 ÷ 0.54 = ☐ (통)

18 들기름 15.12 L를 한 통에 1.26 L씩 나누어 담으면 모두 몇 통에 담을 수 있는지?

식   15.12 ÷ ☐ = ☐ (통)

19 책장은 1.86 m, 탁자는 0.62 m일 때 책장 높이는 탁자 높이의 몇 배?

식   1.86 ÷ ☐ = ☐ (배)

20 소나무는 4.55 m, 국화는 0.35 m일 때 소나무 높이는 국화 높이의 몇 배?

식   ☐ ÷ 0.35 = ☐ (배)

자릿수가 다른 (소수)÷(소수) ①

이렇게 해결하자

• 3.12÷2.4의 계산 — 312÷240을 이용하여 계산하기

$$3.12 \div 2.4 = 1.3$$

100배 ↓   100배 ↓

$$312 \div 240 = 1.3$$

$$2.4\,0\,)\overline{3.1\,2} \rightarrow 2\,4\,0\,)\overline{3\,1\,2\,0}$$

소수점을 오른쪽으로
두 자리씩 옮겨 계산합니다.

$$\begin{array}{r} 1.3 \\ 2\,4\,0\,)\overline{3\,1\,2.0} \\ 2\,4\,0 \\ \hline 7\,2\,0 \\ 7\,2\,0 \\ \hline 0 \end{array}$$

☐ 안에 알맞은 수를 써넣으세요.

① $0.92 \div 0.4$

100배 ↓   100배 ↓

$92 \div 40 = \boxed{}$

→ $0.92 \div 0.4 = \boxed{}$

② $1.44 \div 1.8$

100배 ↓   100배 ↓

$144 \div 180 = \boxed{}$

→ $1.44 \div 1.8 = \boxed{}$

③ $0.14 \div 0.7 = \boxed{}$

$14 \div 70 = \boxed{}$

④ $1.35 \div 0.3 = \boxed{}$

$135 \div 30 = \boxed{}$

⑤ $1.95 \div 1.5 = \boxed{}$

$195 \div 150 = \boxed{}$

⑥ $1.68 \div 2.8 = \boxed{}$

$168 \div 280 = \boxed{}$

⑦ $7.26 \div 2.2 = \boxed{}$

$726 \div 220 = \boxed{}$

⑧ $6.46 \div 3.4 = \boxed{}$

$646 \div 340 = \boxed{}$

계산해 보세요.

⑨

0.8) 1.0 4

⑩

1.4) 2.3 8

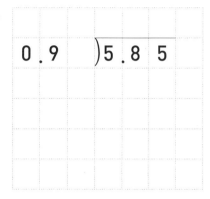

⑪

1.6) 5.1 2

⑫

0.9) 5.8 5

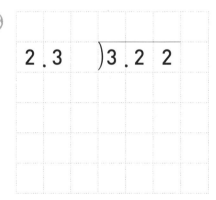

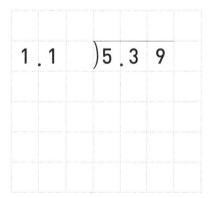

⑬

2.3) 3.2 2

⑭

1.1) 5.3 9

⑮

2.7) 7.0 2

⑯

3.8) 6.8 4

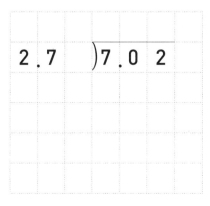

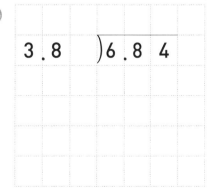

2

소수의 나눗셈 (1)

83

자릿수가 다른 (소수)÷(소수) ①

🐻 ☐ 안에 알맞은 수를 써넣으세요.

1 $2.28 \div 0.6 = 228 \div \boxed{} = \boxed{}$

2 $0.65 \div 0.5 = 65 \div \boxed{} = \boxed{}$

3 $1.17 \div 1.3 = 117 \div \boxed{} = \boxed{}$

4 $0.84 \div 0.7 = 84 \div \boxed{} = \boxed{}$

5 $5.88 \div 2.1 = \boxed{} \div 210 = \boxed{}$

6 $3.43 \div 4.9 = \boxed{} \div 490 = \boxed{}$

7 $5.04 \div 3.6 = \boxed{} \div 360 = \boxed{}$

8 $8.75 \div 2.5 = \boxed{} \div 250 = \boxed{}$

2 소수의 나눗셈 (1)

🐻 빈칸에 알맞은 소수를 써넣으세요.

9 $0.96 \rightarrow \div 1.2 \rightarrow \boxed{}$

10 $2.24 \rightarrow \div 0.8 \rightarrow \boxed{}$

11 $1.56 \rightarrow \div 2.6 \rightarrow \boxed{}$

12 $3.23 \rightarrow \div 1.9 \rightarrow \boxed{}$

13 $7.03 \rightarrow \div 3.7 \rightarrow \boxed{}$

14 $9.28 \rightarrow \div 2.9 \rightarrow \boxed{}$

생활 속 계산

🐻 일정한 빠르기로 가는 자동차가 연료 1 L로 달린 거리는 몇 km인지 구하세요.

15

사용한 연료: 1.7 L
달린 거리: 12.75 km

12.75 ÷ 1.7 = ☐ (km)

16

사용한 연료: 2.3 L
달린 거리: 14.72 km

14.72 ÷ ☐ = ☐ (km)

17

사용한 연료: 4.8 L
달린 거리: 42.24 km

42.24 ÷ ☐ = ☐ (km)

18

사용한 연료: 5.6 L
달린 거리: 40.32 km

☐ ÷ 5.6 = ☐ (km)

문장 읽고 계산식 세우기

19 넓이가 1.08 m²인 평행사변형의 높이가 0.6 m일 때, 밑변의 길이는 몇 m?

식　1.08 ÷ 0.6 = ☐ (m)

20 넓이가 3.78 m²인 평행사변형의 밑변의 길이가 1.4 m일 때, 높이는 몇 m?

식　3.78 ÷ ☐ = ☐ (m)

21 헌 종이를 주영이는 1.92 kg, 정아는 1.2 kg 모았을 때 모은 헌 종이의 무게는 주영이가 정아의 몇 배?

식　1.92 ÷ ☐ = ☐ (배)

22 독서를 수현이는 3.78시간, 주혁이는 1.8시간 했을 때 독서한 시간은 수현이가 주혁이의 몇 배?

식　☐ ÷ 1.8 = ☐ (배)

자릿수가 다른 (소수)÷(소수) ②

• 3.12÷2.4의 계산 ─ 31.2÷24를 이용하여 계산하기

$3.12 \div 2.4 = 1.3$

10배 ↓   10배 ↓

$31.2 \div 24 = 1.3$

$2.4 \overline{)3.1\,2} \rightarrow 24 \overline{)31.2}$

소수점을 오른쪽으로
한 자리씩 옮겨 계산합니다.

$$\begin{array}{r} 1.3 \\ 24 \overline{)31.2} \\ 24 \\ \hline 7\,2 \\ 7\,2 \\ \hline 0 \end{array}$$

🐻 ☐ 안에 알맞은 수를 써넣으세요.

1 $0.28 \div 0.7$

10배 ↓   10배 ↓

$2.8 \div 7 = \boxed{}$

➡ $0.28 \div 0.7 = \boxed{}$

2 $4.68 \div 1.2$

10배 ↓   10배 ↓

$46.8 \div 12 = \boxed{}$

➡ $4.68 \div 1.2 = \boxed{}$

3 $0.78 \div 0.6 = \boxed{}$ ←

$7.8 \div 6 = \boxed{}$

4 $0.32 \div 0.4 = \boxed{}$ ←

$3.2 \div 4 = \boxed{}$

5 $4.86 \div 1.8 = \boxed{}$ ←

$48.6 \div 18 = \boxed{}$

6 $0.65 \div 1.3 = \boxed{}$ ←

$6.5 \div 13 = \boxed{}$

7 $9.43 \div 4.1 = \boxed{}$ ←

$94.3 \div 41 = \boxed{}$

8 $8.99 \div 2.9 = \boxed{}$ ←

$89.9 \div 29 = \boxed{}$

제한 시간 7분

기초 계산 연습

맞은 개수   /20개

▶ 정답과 해설 13~14쪽

🐻 계산해 보세요.

⑨

```
1.4 ) 0.9 8
```

⑩

```
0.5 ) 0.1 5
```

⑪

```
1.7 ) 0.6 8
```

⑫

⑬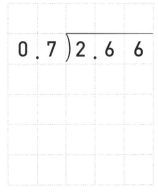

⑭

⑮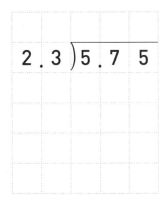

⑯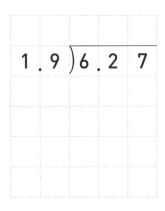

⑰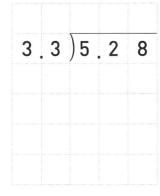

⑱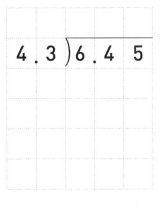

⑲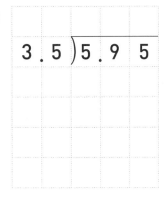

⑳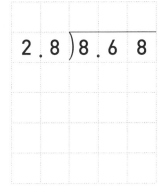

2

소수의 나눗셈⑴

87

자릿수가 다른 (소수)÷(소수) ②

🐻 ☐ 안에 알맞은 수를 써넣으세요.

1 $1.12 \div 0.8 = 11.2 \div \boxed{} = \boxed{}$

2 $0.63 \div 0.9 = 6.3 \div \boxed{} = \boxed{}$

3 $2.64 \div 1.2 = 26.4 \div \boxed{} = \boxed{}$

4 $2.85 \div 1.9 = 28.5 \div \boxed{} = \boxed{}$

5 $1.89 \div 2.7 = \boxed{} \div 27 = \boxed{}$

6 $5.76 \div 3.2 = \boxed{} \div 32 = \boxed{}$

7 $9.66 \div 4.6 = \boxed{} \div 46 = \boxed{}$

8 $7.42 \div 1.4 = \boxed{} \div 14 = \boxed{}$

2 소수의 나눗셈 (1)

🐻 빈칸에 알맞은 소수를 써넣으세요.

9 | 0.81 | ÷0.3 | |

10 | 1.28 | ÷1.6 | |

11 | 5.07 | ÷3.9 | |

12 | 3.96 | ÷2.2 | |

13 | 6.75 | ÷1.5 | |

14 | 9.86 | ÷3.4 | |

플러스 계산 연습

🐻 빈칸에 알맞은 소수를 써넣으세요.

15

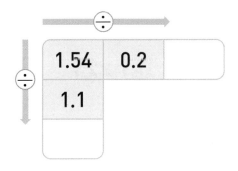

÷ →		
1.54	0.2	
1.1		

16

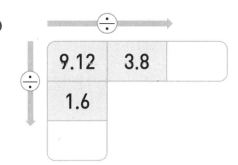

÷ →		
9.12	3.8	
1.6		

생활 속 계산

🐻 집에서 학교까지의 거리는 학교에서 은행까지의 거리의 몇 배인지 구하세요.

17

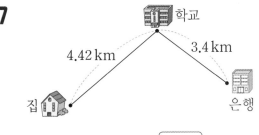

학교
4.42 km   3.4 km
집   은행

$4.42 \div 3.4 = \boxed{}$ (배)

18

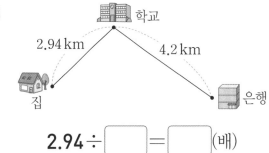

학교
2.94 km   4.2 km
집   은행

$2.94 \div \boxed{} = \boxed{}$ (배)

문장 읽고 계산식 세우기

19

일정한 빠르기로 4.25 km를 가는 데 2.5분 걸렸을 때, 1분에 간 거리는 몇 km?

식 $4.25 \div 2.5 = \boxed{}$ (km)

20

일정한 빠르기로 8.82 km를 가는 데 6.3분 걸렸을 때, 1분에 간 거리는 몇 km?

식 $8.82 \div \boxed{} = \boxed{}$ (km)

21

고양이는 3.7 kg, 강아지는 5.18 kg일 때 강아지 무게는 고양이 무게의 몇 배?

식 $5.18 \div \boxed{} = \boxed{}$ (배)

22

고양이는 4.02 kg, 강아지는 6.7 kg일 때 고양이 무게는 강아지 무게의 몇 배?

식 $4.02 \div \boxed{} = \boxed{}$ (배)

 계산해 보세요.

① 7.5 ÷ 0.5

② 7.2 ÷ 0.8

③ 37.7 ÷ 2.9

④ 1.44 ÷ 0.06

⑤ 19.18 ÷ 1.37

⑥ 5.92 ÷ 0.74

⑦ 0.84 ÷ 1.2

⑧ 2.52 ÷ 0.9

⑨ 13.26 ÷ 3.9

⑩ 1.7) 2 7.2

⑪ 1.8) 1 2.6

⑫ 0.6) 1 7.4

⑬ 0.1 3) 1.4 3

⑭ 0.3 9) 1 3.6 5

⑮ 2.7 1) 4 8.7 8

⑯ 2.6) 4.4 2

⑰ 1.5) 4.0 5

⑱ 3.2) 4.1 6

2

소수의 나눗셈 (1)

90

🐻 빈칸에 알맞은 수를 써넣으세요.

19   16.1   0.7

20   8.4   1.4

21   47.6   2.8

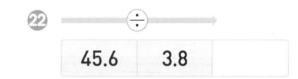

22   45.6   3.8

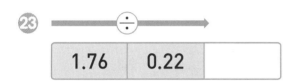

23   1.76   0.22

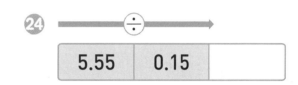

24   5.55   0.15

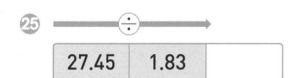

25   27.45   1.83

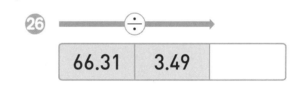

26   66.31   3.49

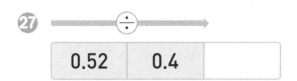

27   0.52   0.4

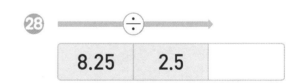

28   8.25   2.5

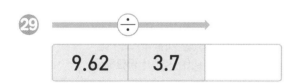

29   9.62   3.7

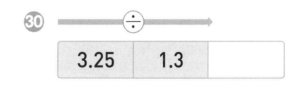

30   3.25   1.3

2

소수의 나눗셈 ⑴

91

제한 시간 안에 정확하게
모두 풀었다면 여러분은 진정한 **계산왕!**

문장제 문제 도전하기

🐻 계산해 보세요.

1 24.7 ÷ 1.9 = ☐ → 빨간색 리본의 길이는 초록색 리본의 길이의 몇 배일까요?

24.7 m   1.9 m

 이 소수의 나눗셈식이 실생활에서 어떤 상황에 이용될까요?

식 24.7 ÷ ☐ = ☐

답 _____ 배

2 4.35 ÷ 2.9 = ☐ → 평행사변형의 밑변의 길이는 높이의 몇 배일까요?

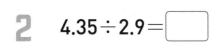
2.9 m
4.35 m

식 ☐ ÷ ☐ = ☐

답 _____ 배

3 1.96 ÷ 0.07 = ☐ → 밀가루 1.96 kg으로 베이글을 모두 몇 개 만들 수 있을까요?

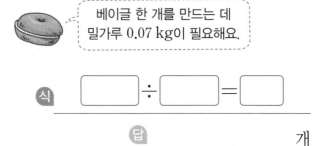 베이글 한 개를 만드는 데 밀가루 0.07 kg이 필요해요.

식 ☐ ÷ ☐ = ☐

답 _____ 개

문장을 읽고 알맞은 나눗셈식을 세워 답을 구해 보자!

4 보라색 리본()의 길이는 **54.4** m이고, 노란색 리본()의 길이는 **3.4** m입니다.
보라색 리본의 길이는 노란색 리본의 길이의 몇 배일까요?

 ÷  → ☐ ÷ ☐ = ☐ (배)

5 삼각형의 밑변의 길이는 **4.08** m, 높이는 **2.4** m입니다.
삼각형의 밑변의 길이는 높이의 몇 배일까요?

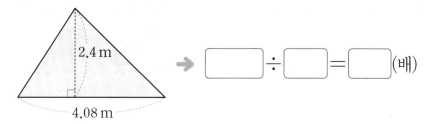

2.4 m

4.08 m

→ ☐ ÷ ☐ = ☐ (배)

6 머핀() 한 개를 만드는 데 밀가루가 **0.03** kg 필요합니다.

밀가루() **1.38** kg으로 머핀을 모두 몇 개 만들 수 있을까요?

 ÷  → ☐ ÷ ☐ = ☐ (개)

창의·융합·코딩·도전하기

그림자의 길이

 호범이의 그림자 길이는 키의 몇 배인지 알아보세요.

호범

내 키는 1.5 m예요. 아침과 점심에 그림자의 길이는
각각 키의 몇 배인지 알아보세요.

아침	그림자 길이: **7.5** m	**7.5 ÷ 1.5 =** ☐ (배)
점심	그림자 길이: **1.35** m	**1.35 ÷ 1.5 =** ☐ (배)

2 초가집은 갈대나 볏짚 등으로 지붕을 인 집입니다.

실물과 같은 모양으로
만든 작은 모형

다음과 같이 초가집 미니어처를 만들려고 합니다.

둘레가 **29.25** cm인 원 모양의 울타리에 **0.75** cm마다 기둥을 세운다면

기둥은 몇 개 세워야 할까요?

답  개

 3 치즈와 우유에 들어 있는 콜레스테롤 함유량이 다음과 같습니다.

치즈 **100** g에 들어 있는 콜레스테롤 함유량은

우유 **100** g에 들어 있는 콜레스테롤 함유량의 몇 배일까요?

음식	치즈	우유
100 g에 들어 있는 콜레스테롤 함유량	**72.1** mg	**10.3** mg

mg는 '밀리그램'이라고
읽으며 1 mg＝0.001 g
입니다.

답  배

2

소수의 나눗셈 (1)

95

3 소수의 나눗셈 (2)

여긴 어디야?

여긴 방 탈출 게임 속이야.

저게 뭐지?

-환영 합니다-

문제를 풀어서 금고에 있는 열쇠를 꺼내 방을 탈출해야 하는군.

맞아!

그럼 방 안에 숨겨진 문제를 찾아 보자. 그 전에⋯⋯.

우리가 삐에로 바이러스를 막을 수는 있는 거야?

이 게임에 도전하는 사람들은 많았지만 ⋯⋯.

환영 합니다-

모두가 실패했어. 오히려 삐에로의 힘만 키워주었지.

너희도 실패할 거라 생각했어.

헐~.

하지만, 지금은 너희를 믿어.

왜 갑자기?

이번에 배울 내용을 알아볼까요?

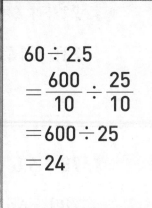

$$60 \div 2.5$$
$$= \frac{600}{10} \div \frac{25}{10}$$
$$= 600 \div 25$$
$$= 24$$

(자연수)÷(소수 한 자리 수) ①

 이렇게 해결하자

· 24÷1.6의 계산

(1) 분수의 나눗셈으로 바꾸어 계산하기

$$24÷1.6=\frac{240}{10}÷\frac{16}{10}$$

분모가 10인
분수로 고쳐요. $=240÷16=15$

(2) 자연수의 나눗셈을 이용하여 계산하기

$$24 ÷ 1.6 = 15$$

10배   10배

$$240 ÷ 16 = 15$$

📖 자연수의 나눗셈을 이용하여 소수의 나눗셈을 계산해 보세요.

3

소수의 나눗셈 (2)

① 13÷0.5

10배   10배

130 ÷ 5 = [   ]

➜ 13÷0.5 = [   ]

② 6÷1.2

10배   10배

60÷12 = [   ]

➜ 6÷1.2 = [   ]

③ 12÷2.4 = [   ]

120÷24 = [   ]

④ 14÷3.5 = [   ]

140÷35 = [   ]

⑤ 18÷1.5 = [   ]

180÷15 = [   ]

⑥ 21÷1.4 = [   ]

210÷14 = [   ]

⑦ 80÷3.2 = [   ]

800÷32 = [   ]

⑧ 78÷6.5 = [   ]

780÷65 = [   ]

계산해 보세요.

⑨ $38 \div 0.4 = \dfrac{380}{10} \div \dfrac{\boxed{}}{10} = 380 \div \boxed{} = \boxed{}$

⑩ $24 \div 4.8 = \dfrac{240}{10} \div \dfrac{\boxed{}}{10} = \boxed{} \div \boxed{} = \boxed{}$

⑪ $21 \div 3.5 = \dfrac{\boxed{}}{10} \div \dfrac{\boxed{}}{10} = \boxed{} \div \boxed{} = \boxed{}$

⑫ $42 \div 8.4 = \dfrac{\boxed{}}{10} \div \dfrac{\boxed{}}{10} = \boxed{} \div \boxed{} = \boxed{}$

⑬ $35 \div 0.7$

⑭ $17 \div 8.5$

⑮ $51 \div 3.4$

⑯ $87 \div 5.8$

⑰ $364 \div 6.5$

⑱ $135 \div 5.4$

(자연수)÷(소수 한 자리 수) ①

보기와 같이 계산해 보세요.

보기
$$12 \div 1.5 = \frac{120}{10} \div \frac{15}{10} = 120 \div 15 = 8$$

1 77÷2.2

2 9÷1.5

3 17÷3.4

4 49÷3.5

5 98÷2.8

6 72÷4.5

7 63÷4.2

8 54÷3.6

빈칸에 알맞은 수를 써넣으세요.

9
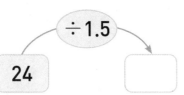
24 [÷1.5] →

10
32 [÷6.4] →

11
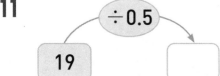
19 [÷0.5] →

12

78 [÷3.9] →

생활 속 계산

 주어진 설탕을 자루에 똑같이 나누어 담으려고 합니다. 모두 몇 자루가 되는지 구하세요.

13

설탕 69 kg

4.6 kg씩 나누어 담아요.

$69 \div 4.6 = $ ☐ (자루)

14

설탕 18 kg

3.6 kg씩 나누어 담아요.

$18 \div$ ☐ $=$ ☐ (자루)

15

설탕 51 kg

1.7 kg씩 나누어 담아요.

☐ 자루

16

설탕 44 kg

5.5 kg씩 나누어 담아요.

☐ 자루

3

소수의 나눗셈 (2)

101

문장 읽고 계산식 세우기

17 딸기 35 kg을 한 상자에 1.4 kg씩 담는다면 필요한 상자 수는?

 $35 \div$ ☐ $=$ ☐ (상자)

18 키위 18 kg을 한 상자에 1.2 kg씩 담는다면 필요한 상자 수는?

 $18 \div$ ☐ $=$ ☐ (상자)

19 살구 34 kg을 한 상자에 6.8 kg씩 담는다면 필요한 상자 수는?

 ☐ $\div$ ☐ $=$ ☐ (상자)

20 매실 36 kg을 한 상자에 1.5 kg씩 담는다면 필요한 상자 수는?

 ☐ $\div$ ☐ $=$ ☐ (상자)

2 일차

(자연수)÷(소수 한 자리 수) ②

이렇게 해결하자

• 27÷1.8을 세로로 계산하기

$$
1.8 \overline{\smash{)}\,27.0} \rightarrow 18 \overline{\smash{)}\,270}
$$

```
        1 5
18 )  2 7 0
      1 8
        9 0
        9 0
          0
```

→ 나누는 수가 자연수가 되도록
소수점을 한 자리씩 똑같이
옮겨요.

나누는 수가 자연수가 되도록
나누는 수와 나누어지는 수의
소수점을 오른쪽으로
한 자리씩 옮겨요.

3

소수의 나눗셈
(2)

계산해 보세요.

① 3.5)2 1

② 7.8)3 9

③ 2.8)1 4

④ 4.5)2 7

⑤ 9.2)4 6

⑥ 8.5)3 4

⑦ 7.6)3 8

⑧ 5.5)4 4

⑨ 9.4)4 7

102

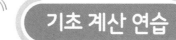
⑩

$$3.5 \overline{)56}$$

⑪

$$5.4 \overline{)81}$$

⑫

$$6.5 \overline{)91}$$

⑬

$$1.5 \overline{)57}$$

⑭

$$3.2 \overline{)48}$$

⑮

$$0.5 \overline{)17}$$

⑯

$$5.8 \overline{)87}$$

⑰

$$2.2 \overline{)55}$$

⑱

$$1.5 \overline{)81}$$

⑲

$$4.5 \overline{)144}$$

⑳

$$2.5 \overline{)105}$$

㉑

$$3.8 \overline{)171}$$

(자연수)÷(소수 한 자리 수) ②

 계산해 보세요.

1 9.6)1 4 4

2 4.5)1 1 7

3 7.2)2 5 2

4 8.4)1 2 6

5 7.2)1 0 8

6 8.6)1 2 9

 빈칸에 알맞은 수를 써넣으세요.

7

51 ÷3.4 ☐

8

26 ÷6.5 ☐

9

68 ÷8.5 ☐

10

59 ÷11.8 ☐

11

81 ÷4.5 ☐

12

21 ÷1.5 ☐

생활 속 계산

🐻 왼쪽 동물의 무게는 오른쪽 동물의 무게의 몇 배인지 구하세요.

13

215 kg   8.6 kg

$215 \div 8.6 = $ ◻ (배)

14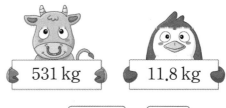

531 kg   11.8 kg

$531 \div$ ◻ $=$ ◻ (배)

15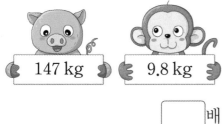

147 kg   9.8 kg

◻ 배

16

259 kg   7.4 kg

◻ 배

문장 읽고 계산식 세우기

17 우유 10 L를 한 명이 0.2 L씩 마신다면 몇 명이 마실 수 있는지?

식 $10 \div$ ◻ $=$ ◻ (명)

18 두유 20 L를 한 명이 0.5 L씩 마신다면 몇 명이 마실 수 있는지?

식 $20 \div$ ◻ $=$ ◻ (명)

19 소금 57 kg을 한 명이 3.8 kg씩 받는다면 몇 명이 받을 수 있는지?

식   ◻ $\div$ ◻ $=$ ◻ (명)

20 설탕 60 kg을 한 명이 2.5 kg씩 받는다면 몇 명이 받을 수 있는지?

식   ◻ $\div$ ◻ $=$ ◻ (명)

(자연수)÷(소수 두 자리 수) ①

• 10÷1.25의 계산

(1) 분수의 나눗셈으로 바꾸어 계산하기

$$10 \div 1.25 = \frac{1000}{100} \div \frac{125}{100}$$

분모가 100인
분수로 고쳐요.

$$= 1000 \div 125 = 8$$

(2) 자연수의 나눗셈을 이용하여 계산하기

$$10 \div 1.25 = 8$$

100배 ↓   100배 ↓

$$1000 \div 125 = 8$$

자연수의 나눗셈을 이용하여 소수의 나눗셈을 계산해 보세요.

3

소수의 나눗셈(2)

106

❶ $18 \div 0.45$

100배 ↓   100배 ↓

$1800 \div 45 = \boxed{}$

➡ $18 \div 0.45 = \boxed{}$

❷ $32 \div 1.28$

100배 ↓   100배 ↓

$3200 \div 128 = \boxed{}$

➡ $32 \div 1.28 = \boxed{}$

❸ $9 \div 2.25 = \boxed{}$

$900 \div 225 = \boxed{}$

❹ $21 \div 0.75 = \boxed{}$

$2100 \div 75 = \boxed{}$

❺ $13 \div 3.25 = \boxed{}$

$1300 \div 325 = \boxed{}$

❻ $48 \div 0.64 = \boxed{}$

$4800 \div 64 = \boxed{}$

❼ $8 \div 0.25 = \boxed{}$

$800 \div 25 = \boxed{}$

❽ $21 \div 0.35 = \boxed{}$

$2100 \div 35 = \boxed{}$

계산해 보세요.

9 $9 \div 0.36 = \dfrac{900}{100} \div \dfrac{\boxed{}}{100} = 900 \div \boxed{} = \boxed{}$

10 $6 \div 0.12 = \dfrac{600}{100} \div \dfrac{\boxed{}}{100} = \boxed{} \div \boxed{} = \boxed{}$

11 $47 \div 1.88 = \dfrac{\boxed{}}{100} \div \dfrac{\boxed{}}{100} = \boxed{} \div \boxed{} = \boxed{}$

12 $17 \div 4.25 = \dfrac{\boxed{}}{100} \div \dfrac{\boxed{}}{100} = \boxed{} \div \boxed{} = \boxed{}$

13 $3 \div 0.25$

14 $5 \div 1.25$

15 $19 \div 0.76$

16 $30 \div 3.75$

17 $35 \div 1.25$

18 $27 \div 2.25$

(자연수)÷(소수 두 자리 수) ①

🐻 ☐ 안에 알맞은 수를 써넣으세요.

100배

1 $52 \div 2.08 = $ ☐ ➡ $5200 \div 208 = $ ☐

100배

100배

2 $26 \div 0.65 = $ ☐ ➡ $2600 \div 65 = $ ☐

100배

100배

3 $18 \div 0.25 = $ ☐ ➡ $1800 \div 25 = $ ☐

100배

3 소수의 나눗셈 ⑵

🐻 빈칸에 알맞은 수를 써넣으세요.

4 63 ➡ ÷3.15 ➡ ☐

5 42 ➡ ÷5.25 ➡ ☐

6 86 ➡ ÷3.44 ➡ ☐

7 22 ➡ ÷2.75 ➡ ☐

8 46 ➡ ÷1.84 ➡ ☐

9 63 ➡ ÷1.75 ➡ ☐

생활 속 계산

주어진 리본 끈을 자르려고 합니다. 몇 도막이 되는지 구하세요.

10 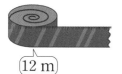 12 m 0.48 m씩 잘랐어요.

$$12 \div 0.48 = \boxed{} \text{(도막)}$$

11 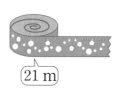 21 m 0.84 m씩 잘랐어요.

$$21 \div \boxed{} = \boxed{} \text{(도막)}$$

12 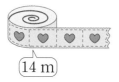 14 m 1.75 m씩 잘랐어요.

$$\boxed{} \text{도막}$$

13 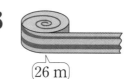 26 m  3.25 m씩 잘랐어요.

$$\boxed{} \text{도막}$$

3

소수의 나눗셈 (2)

109

문장 읽고 계산식 세우기

14 간장 7 L를 한 병에 1.75 L씩 나누어 담으면 담을 수 있는 병의 수는?

 식 $7 \div \boxed{} = \boxed{}$ (병)

15 참기름 3 L를 한 병에 0.12 L씩 나누어 담으면 담을 수 있는 병의 수는?

식 $3 \div \boxed{} = \boxed{}$ (병)

16 고추장 18 kg을 한 통에 0.36 kg씩 나누어 담으면 담을 수 있는 통의 수는?

 식 $\boxed{} \div \boxed{} = \boxed{}$ (통)

17 된장 43 kg을 한 통에 1.72 kg씩 나누어 담으면 담을 수 있는 통의 수는?

 식 $\boxed{} \div \boxed{} = \boxed{}$ (통)

(자연수)÷(소수 두 자리 수) ②

• 7÷0.25를 세로로 계산하기

$$0.25 \overline{)7.00} \rightarrow 25 \overline{)7000}$$

소수점을 오른쪽으로
두 자리씩 똑같이 옮겨요.

```
        2 8
  2 5 ) 7 0 0 0
        5 0
        2 0 0
        2 0 0
            0
```

나누어지는 수의 소수점을
오른쪽으로 옮길 때
소수점 아래 끝자리에 0을 쓰고
소수점을 옮겨 계산해요.

🐻 계산해 보세요.

❶
$$0.15 \overline{)3}$$

❷
$$0.25 \overline{)2}$$

❸
$$0.75 \overline{)6}$$

❹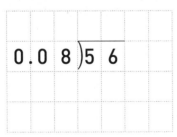
$$0.08 \overline{)56}$$

❺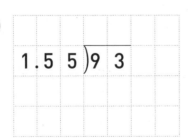
$$1.55 \overline{)93}$$

❻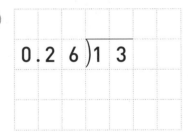
$$0.26 \overline{)13}$$

❼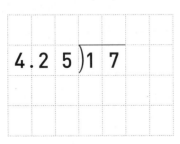
$$4.25 \overline{)17}$$

❽
$$1.68 \overline{)84}$$

❾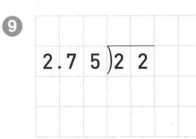
$$2.75 \overline{)22}$$

⑩
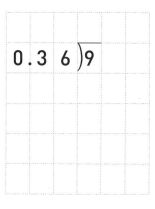
$0.3\,6\,)\,9$

⑪
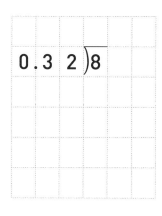
$0.3\,2\,)\,8$

⑫
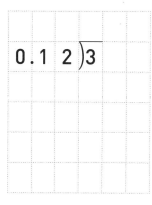
$0.1\,2\,)\,3$

⑬
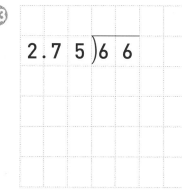
$2.7\,5\,)\,6\,6$

⑭
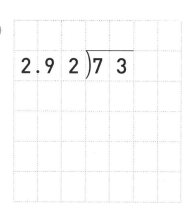
$2.9\,2\,)\,7\,3$

⑮
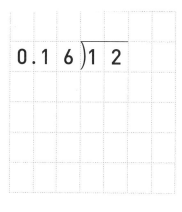
$0.1\,6\,)\,1\,2$

⑯
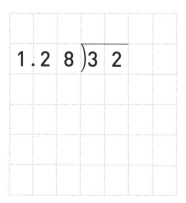
$1.2\,8\,)\,3\,2$

⑰
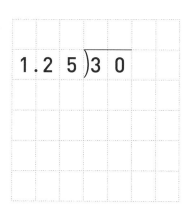
$1.2\,5\,)\,3\,0$

⑱
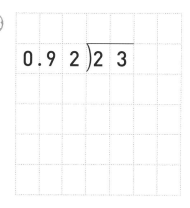
$0.9\,2\,)\,2\,3$

⑲
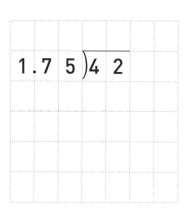
$1.7\,5\,)\,4\,2$

⑳

$2.7\,5\,)\,7\,7$

㉑
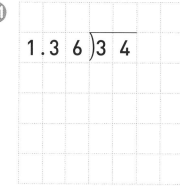
$1.3\,6\,)\,3\,4$

🐻 계산해 보세요.

1 $1.25\overline{)35}$

2 $2.72\overline{)68}$

3 $0.16\overline{)12}$

4 $0.75\overline{)18}$

5 $0.64\overline{)48}$

6 $0.25\overline{)12}$

🐻 빈칸에 알맞은 수를 써넣으세요.

7 63 → ÷2.25 → ☐

8 13 → ÷0.25 → ☐

9 49 → ÷1.75 → ☐

10 7 → ÷0.25 → ☐

11 16 → ÷0.64 → ☐

12 68 → ÷4.25 → ☐

생활 속 계산

왼쪽 곤충의 무게는 오른쪽 곤충의 무게의 몇 배인지 구하세요.

13
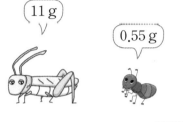
11 g
0.55 g

$11 \div 0.55 = \boxed{}$ (배)

14

27 g
0.45 g

$27 \div \boxed{} = \boxed{}$ (배)

15

31 g
0.62 g

$\boxed{}$ 배

16

49 g
1.75 g

$\boxed{}$ 배

3

소수의 나눗셈 (2)

113

문장 읽고 계산식 세우기

17 높이가 32 m인 건물은 키가 1.28 m인 수지의 몇 배?

식  $32 \div \boxed{} = \boxed{}$ (배)

18 높이가 71 m인 건물은 키가 1.42 m인 민호의 몇 배?

식  $71 \div \boxed{} = \boxed{}$ (배)

19 높이가 41 m인 건물은 키가 1.64 m인 엄마의 몇 배?

식  $\boxed{} \div \boxed{} = \boxed{}$ (배)

20 높이가 48 m인 건물은 키가 1.92 m인 아빠의 몇 배?

식  $\boxed{} \div \boxed{} = \boxed{}$ (배)

몫을 반올림하여 나타내기

이렇게 해결하자

• 12÷7의 몫을 반올림하여 나타내기

```
      1. 7 1 4
7 ) 1 2. 0 0 0
      7
      5 0
      4 9
        1 0
          7
          3 0
          2 8
            2
```

예 몫을 반올림하여 일의 자리까지 나타내기

12÷7=1.7······ → 2

→ 소수 첫째 자리 숫자가 7이므로 올림

예 몫을 반올림하여 소수 첫째 자리까지 나타내기

12÷7=1.71······ → 1.7

→ 소수 둘째 자리 숫자가 1이므로 버림

예 몫을 반올림하여 소수 둘째 자리까지 나타내기

12÷7=1.714······ → 1.71

→ 소수 셋째 자리 숫자가 4이므로 버림

몫을 반올림하여 일의 자리까지 나타내 보세요.

❶ 3) 1 1

❷ 7) 2 4

❸ 9) 4 6

→ ☐

→ ☐

→ ☐

❹ 1.3) 2.5

❺ 0.7) 2.3

❻ 0.8) 3.5 7

→ ☐

→ ☐

→ ☐

몫을 반올림하여 소수 첫째 자리까지 나타내 보세요.

7 $7\overline{)9}$

8 $6\overline{)5}$

9 $3\overline{)4}$

10 $1.3\overline{)2.3}$

11 $2.9\overline{)6.7}$

12 $0.3\overline{)1.9}$

몫을 반올림하여 소수 둘째 자리까지 나타내 보세요.

13 $1\,3\overline{)9}$

14 $9\overline{)1\,7}$

15 $1.4\overline{)3.9}$

3

소수의 나눗셈 ⑵

115

몫을 반올림하여 나타내기

 몫을 반올림하여 일의 자리까지 나타내 보세요.

1 　17 ÷ 12

　　　☐

2 　15 ÷ 11

　　　☐

3 　2.3 ÷ 0.7

　　　☐

4 　8.7 ÷ 0.8

　　　☐

5 　6.34 ÷ 0.3

　　　☐

6 　9.79 ÷ 5.1

　　　☐

 몫을 반올림하여 주어진 자리까지 나타내 보세요.

7

나눗셈	소수 첫째 자리	소수 둘째 자리
25 ÷ 9		

8

나눗셈	소수 첫째 자리	소수 둘째 자리
28 ÷ 17		

9

나눗셈	소수 첫째 자리	소수 둘째 자리
3.5 ÷ 0.6		

10

나눗셈	소수 첫째 자리	소수 둘째 자리
43.3 ÷ 9		

플러스 계산 연습

생활 속 계산

🐻 강아지의 무게는 고양이의 무게의 몇 배인지 반올림하여 일의 자리까지 나타내 보세요.

11

8 kg 3 kg

◻ 배

12

13 kg 7 kg

◻ 배

13

5 kg 3 kg

◻ 배

14

8.8 kg 3.3 kg

◻ 배

15

5.9 kg 3.7 kg

◻ 배

16

4.9 kg 3.4 kg

◻ 배

문장 읽고 계산식 세우기

17 설탕 16 kg과 소금 7 kg이 있을 때 설탕의 양은 소금의 양의 몇 배인지 반올림하여 소수 첫째 자리까지 나타내면?

답 _____ 배

18 밀가루 8.7 kg과 빵가루 3.1 kg이 있을 때 밀가루의 양은 빵가루의 양의 몇 배인지 반올림하여 소수 첫째 자리까지 나타내면?

답 _____ 배

나누어 주고 남는 양 알아보기

이렇게 해결하자

식용유 7.4 L를 한 병에 2 L씩 나누어 담을 때 나누어 담을 수 있는 병의 수와 남는 양 구하기

```
         3  → 나누어 담을 수 있는 병 수
      ─────
   2 ) 7.4
       6
      ─────
       1.4  → 남는 식용유의 양
```

➡ 나누어 담을 수 있는 병 수: 3병
남는 식용유의 양: 1.4 L

3 소수의 나눗셈 (2)

다음과 같이 나누어 주려고 합니다. 나누어 줄 수 있는 사람 수와 남는 양을 구하세요.

① 귤 14.3 kg을 한 사람에게 3 kg씩 나누어 줄 때

```
        4
      ─────
   3 ) 1 4 . 3
       1 2
      ─────
         2 . 3
```

사람 수: ☐명

남는 귤의 양: ☐ kg

② 딸기 6.8 kg을 한 사람에게 3 kg씩 나누어 줄 때

```
        2
      ─────
   3 ) 6 . 8
       6
      ─────
       0 . 8
```

사람 수: ☐명

남는 딸기의 양: ☐ kg

③ 사탕 15.4 kg을 한 사람에게 4 kg씩 나누어 줄 때

```
        3
      ─────
   4 ) 1 5 . 4
       1 2
      ─────
         3 . 4
```

사람 수: ☐명

남는 사탕의 양: ☐ kg

④ 젤리 22.74 kg을 한 사람에게 5 kg씩 나누어 줄 때

```
        4
      ─────
   5 ) 2 2 . 7 4
       2 0
      ─────
         2 . 7 4
```

사람 수: ☐명

남는 젤리의 양: ☐ kg

5 아몬드 18.8 kg을 한 사람에게 6 kg씩 나누어 줄 때

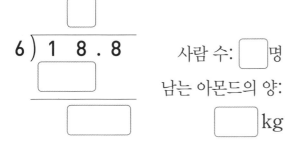

사람 수: ☐ 명
남는 아몬드의 양:
☐ kg

6 호두 27.6 kg을 한 사람에게 4 kg씩 나누어 줄 때

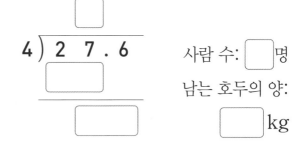

사람 수: ☐ 명
남는 호두의 양:
☐ kg

7 콩 67.2 kg을 한 사람에게 9 kg씩 나누어 줄 때

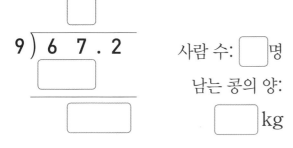

사람 수: ☐ 명
남는 콩의 양:
☐ kg

8 메밀 38.4 kg을 한 사람에게 7 kg씩 나누어 줄 때

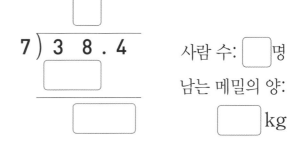

사람 수: ☐ 명
남는 메밀의 양:
☐ kg

9 식혜 4.7 L를 한 사람에게 2 L씩 나누어 줄 때

사람 수: ☐ 명
남는 식혜의 양:
☐ L

10 수정과 8.26 L를 한 사람에게 4 L씩 나누어 줄 때

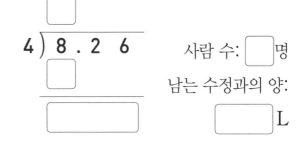

사람 수: ☐ 명
남는 수정과의 양:
☐ L

3

소수의 나눗셈 ⑵

119

나누어 주고 남는 양 알아보기

🐻 나눗셈의 몫을 자연수 부분까지 구하고 남는 수를 구하세요.

1 $5{\overline{)3\,1.4}}$

몫: ☐, 남는 수: ☐

2 $8{\overline{)2\,3.3}}$

몫: ☐, 남는 수: ☐

3 $7{\overline{)7\,1.7}}$

몫: ☐, 남는 수: ☐

4 $9{\overline{)5\,4.6}}$

몫: ☐, 남는 수: ☐

🐻 다음과 같이 나누어 주려고 합니다. 나누어 줄 수 있는 사람 수와 남는 양을 구하세요.

5 식초 9.2 L를 한 사람에게 4 L씩 나누어 줄 때

사람 수: ☐ 명

남는 식초의 양: ☐ L

6 간장 42.6 L를 한 사람에게 9 L씩 나누어 줄 때

사람 수: ☐ 명

남는 간장의 양: ☐ L

7 철사 11.5 m를 한 사람에게 3 m씩 나누어 줄 때

사람 수: ☐ 명

남는 철사의 길이: ☐ m

8 노끈 10.26 m를 한 사람에게 5 m씩 나누어 줄 때

사람 수: ☐ 명

남는 노끈의 길이: ☐ m

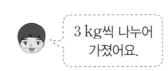
생활 속 계산

 친구들에게 똑같이 나누어 주려고 합니다. 몇 명의 친구에게 나누어 줄 수 있는지 구하세요.

9

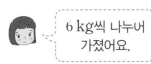

21.7 kg

3 kg씩 나누어 가졌어요.

◻ 명

10

참깨

21.2 kg

6 kg씩 나누어 가졌어요.

◻ 명

11

고추장

46.4 kg

7 kg씩 나누어 가졌어요.

◻ 명

12

된장

38.6 kg

8 kg씩 나누어 가졌어요.

◻ 명

3

소수의 나눗셈 (2)

121

문장 읽고 계산식 세우기

13 상자 하나를 묶는 데 리본 끈 4 m가 필요하다면 길이가 37.9 m인 리본 끈으로 묶을 수 있는 상자 수와 남는 리본 끈의 길이는 몇 m?

답 _____ 상자, _____ m

14 팔찌 하나를 만드는 데 실 2 m가 필요하다면 길이가 19.6 m인 실로 만들 수 있는 팔찌 수와 남는 실의 길이는 몇 m?

답 _____ 개, _____ m

15 체리 35.7 kg을 한 상자에 7 kg씩 담아서 팔려고 한다면 팔 수 있는 상자 수와 남는 체리는 몇 kg?

답 _____ 상자, _____ kg

16 감자 62.4 kg을 한 상자에 8 kg씩 담아서 팔려고 한다면 팔 수 있는 상자 수와 남는 감자는 몇 kg?

답 _____ 상자, _____ kg

제한 시간 10분

 계산해 보세요.

❶ 129 ÷ 8.6

❷ 162 ÷ 2.16

❸ 6.2) 3 1

❹ 7.5) 4 5

❺ 5.5) 8 8

❻ 3.6) 5 4

❼ 2.7 5) 2 2

❽ 2.2 4) 5 6

❾ 3.2 5) 3 9

❿ 1.6 8) 1 2 6

3

소수의 나눗셈 (2)

나눗셈의 몫을 반올림하여 소수 첫째 자리까지 나타내 보세요.

⑪　53÷6

（　　　　　　）

⑫　28÷3

（　　　　　　）

⑬　2.5÷0.7

（　　　　　　）

⑭　4.89÷1.9

（　　　　　　）

나눗셈의 몫을 반올림하여 소수 둘째 자리까지 나타내 보세요.

⑮　7÷6

（　　　　　　）

⑯　94÷3

（　　　　　　）

⑰　7.8÷9.2

（　　　　　　）

⑱　1.75÷2.3

（　　　　　　）

나눗셈의 몫을 자연수 부분까지 구할 때 남는 수를 구하세요.

⑲　49.7÷3

（　　　　　　）

⑳　63.6÷7

（　　　　　　）

제한 시간 안에 정확하게
모두 풀었다면 여러분은 진정한 **계산왕!**

문장제 문제 도전하기

 계산해 보세요.

1 265 ÷ 2.5 = [ ] → 자동차는 한 시간에 몇 km를 달린 셈일까요?

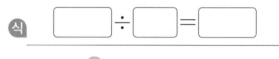

달린 거리: 265 km
달린 시간: 2시간 30분

 이 나눗셈식이 실생활에서 어떤 상황에 이용될까요?

식 [ ] ÷ [ ] = [ ]

답 _____ km

2 252 ÷ 3.5 = [ ] → 트럭은 한 시간에 몇 km를 달린 셈일까요?

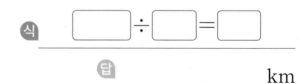

달린 거리: 252 km
달린 시간: 3시간 30분

식 [ ] ÷ [ ] = [ ]

답 _____ km

3 378 ÷ 4.5 = [ ] → 버스는 한 시간에 몇 km를 달린 셈일까요?

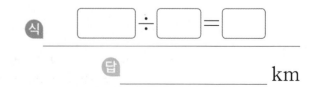

달린 거리: 378 km
달린 시간: 4시간 30분

식 [ ] ÷ [ ] = [ ]

답 _____ km

문장을 읽고 알맞은 나눗셈식을 세워 답을 구해 보자!

4 수박의 무게는 파인애플의 무게의 몇 배일까요?

12 kg

2.4 kg

☐ ÷ ☐ = ☐ (배)

5 멜론의 무게는 사과의 무게의 몇 배일까요?

1 kg

0.25 kg

☐ ÷ ☐ = ☐ (배)

6 볼링공의 무게는 야구공의 무게의 몇 배일까요?

7 kg

0.14 kg

☐ ÷ ☐ = ☐ (배)

창의·융합·코딩·도전하기

그릇이 숨을 쉰다고?

 호범이와 은율이는 항아리 만들기 체험을 하고 있습니다.

 호범이가 사용한 흙의 양은 은율이가 사용한 흙의 양의 몇 배일까요?

$$12 \div 2.4 = \boxed{}$$

답 _____ 배

한라산의 높이는 **1.95** km이고, 설악산의 높이는 **1.7** km입니다.
한라산의 높이는 설악산의 높이의 몇 배인지 반올림하여 소수 둘째 자리까지 나타내 보세요.

한라산

설악산

답 _____ 배

 단옷날의 대표적인 풍습인 창포물에 머리감기를 하려고 합니다.
창포물 **82.3** L를 한 사람에게 **6** L씩 나누어 줄 때 나누어 줄 수 있는 사람 수와 남는 창포물의 양을 구하세요.

창포에서 나는 향기가
액운을 쫓고, 병마를
물리친다고 해요.

답 _____ 명, _____ L

④ 비례식과 비례배분

 실생활에서 알아보는 재미있는 수학 이야기

방 탈출 게임까지 성공하다니 정말 놀라운 걸.

여…… 여긴 어떻게?

너희 실력이 형편없어서!

기다리기 심심해서 내가 먼저 찾아온 거야~.

우리가 형편없다고?!

자신 있으면 내가 내는 문제를 풀어 보겠어?

정답을 맞힌다면 너희를 무사히 돌려 보내주지.

시작해 볼까?

좋아!

이 문제는 비례식의 성질에 대한 문제야.

비례식의 성질?

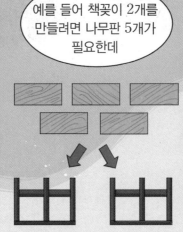

예를 들어 책꽂이 2개를 만들려면 나무판 5개가 필요한데

그럼 책꽂이 8개를 만들려면 나무판이 몇 개 필요할까?

몇 개지?

이번에 배울 내용을 알아볼까요?

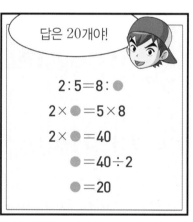

비의 성질 ①

• 비의 전항과 후항에 0이 아닌 같은 수를 곱하기

$$3 : 4 \rightarrow (3 \times 2) : (4 \times 2) \rightarrow 6 : 8$$

비율: $\frac{3}{4}$ 비율: $\frac{6}{8} = \frac{3}{4}$

비의 전항과 후항에 0이 아닌 같은 수를 곱하여도 비율은 같습니다.

> 비 3 : 4에서 기호 ':'의 앞에 있는 3을 전항, 뒤에 있는 4를 후항이라고 해요.

비의 성질을 이용하여 비율이 같은 비가 되도록 ☐ 안에 알맞은 수를 써넣으세요.

① $8 : 5 \rightarrow (8 \times 3) : (5 \times 3)$
       $\rightarrow 24 : \boxed{}$

② $9 : 2 \rightarrow (9 \times 2) : (2 \times 2)$
       $\rightarrow 18 : \boxed{}$

③ $6 : 5 \rightarrow (6 \times 4) : (5 \times 4)$
       $\rightarrow \boxed{} : 20$

④ $7 : 10 \rightarrow (7 \times 5) : (10 \times 5)$
       $\rightarrow \boxed{} : 50$

⑤ $4 : 7 \rightarrow (4 \times 2) : (7 \times \boxed{})$
       $\rightarrow 8 : \boxed{}$

⑥ $3 : 5 \rightarrow (3 \times 3) : (5 \times \boxed{})$
       $\rightarrow 9 : \boxed{}$

⑦ $9 : 5 \rightarrow (9 \times \boxed{}) : (5 \times 3)$
       $\rightarrow \boxed{} : 15$

⑧ $7 : 9 \rightarrow (7 \times \boxed{}) : (9 \times 2)$
       $\rightarrow \boxed{} : 18$

⑨ $7 : 4 \rightarrow (7 \times 4) : (4 \times \boxed{})$
       $\rightarrow \boxed{} : \boxed{}$

⑩ $4 : 9 \rightarrow (4 \times \boxed{}) : (9 \times 5)$
       $\rightarrow \boxed{} : \boxed{}$

⑪
×4

5 : 8 ➡ 20 : [ ]

× [ ]

⑫
×6

6 : 5 ➡ 36 : [ ]

× [ ]

⑬
×3

12 : 11 ➡ 36 : [ ]

× [ ]

⑭
×7

8 : 11 ➡ 56 : [ ]

× [ ]

⑮
× [ ]

3 : 8 ➡ [ ] : 48

×6

⑯
× [ ]

7 : 12 ➡ [ ] : 60

×5

⑰
× [ ]

4 : 3 ➡ [ ] : 21

×7

⑱
× [ ]

15 : 7 ➡ [ ] : 21

×3

⑲
×3

2 : 9 ➡ [ ] : [ ]

× [ ]

⑳
× [ ]

5 : 11 ➡ [ ] : [ ]

×5

비례식과 비례배분

131

비의 성질 ①

🐻 비의 성질을 이용하여 비율이 같은 비가 되도록 ★에 알맞은 수를 구하세요.

1 $7 : 5 \rightarrow ★ : 20$

★ = ☐

2 $3 : 8 \rightarrow ★ : 40$

★ = ☐

3 $2 : 9 \rightarrow ★ : 54$

★ = ☐

4 $5 : 6 \rightarrow 35 : ★$

★ = ☐

5 $7 : 2 \rightarrow 63 : ★$

★ = ☐

6 $13 : 7 \rightarrow 39 : ★$

★ = ☐

🐻 비의 성질을 이용하여 주어진 비와 비율이 같은 비를 찾아 ◯표 하세요.

7 $4 : 7$ — $8 : 21$ $12 : 21$

8 $5 : 3$ — $25 : 18$ $45 : 27$

9 $3 : 7$ — $12 : 28$ $15 : 42$

10 $8 : 5$ — $48 : 30$ $56 : 45$

4 비례식과 비례배분

생활 속 문제

 가로와 세로의 비가 다음과 같은 액자를 만들려고 합니다. 비의 성질을 이용하여 ■의 값을 구하세요.

11 8 : 7

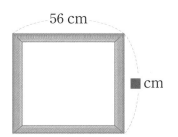

56 cm

■ cm

8 : 7 ➡ 56 : ■

■ = ☐

12 6 : 7

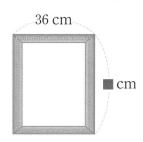

36 cm

■ cm

6 : 7 ➡ 36 : ■

■ = ☐

13 3 : 5

■ cm

30 cm

3 : 5 ➡ ■ : 30

■ = ☐

14 13 : 15

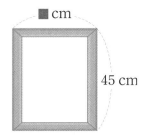

■ cm

45 cm

13 : 15 ➡ ■ : 45

■ = ☐

4

비례식과 비례배분

133

문장 읽고 문제 해결하기

15 2 : 9와 비율이 같은 비를 만들면?

 ☐ : 18, 14 : ☐

16 6 : 13과 비율이 같은 비를 만들면?

☐ : 39, 48 : ☐

17 4 : 3과 비율이 같은 비를 만들면?

 20 : ☐, ☐ : 27

18 8 : 5와 비율이 같은 비를 만들면?

 24 : ☐, ☐ : 35

비의 성질 ②

이렇게 해결하자

• 비의 전항과 후항을 0이 아닌 같은 수로 나누기

$$12 : 15 \rightarrow (12 \div 3) : (15 \div 3) \rightarrow 4 : 5$$

$\rightarrow$ 비율: $\frac{12}{15} = \frac{4}{5}$ $\qquad$ $\rightarrow$ 비율: $\frac{4}{5}$

비의 전항과 후항을 0이 아닌 같은 수로 나누어도 비율은 같습니다.

> 비의 전항과 후항을 0으로는 나눌 수 없어요.

비의 성질을 이용하여 비율이 같은 비가 되도록 ☐ 안에 알맞은 수를 써넣으세요.

① $10 : 15 \rightarrow (10 \div 5) : (15 \div 5)$
$\rightarrow 2 : \boxed{}$

② $56 : 16 \rightarrow (56 \div 8) : (16 \div 8)$
$\rightarrow 7 : \boxed{}$

③ $36 : 66 \rightarrow (36 \div 6) : (66 \div 6)$
$\rightarrow \boxed{} : 11$

④ $81 : 45 \rightarrow (81 \div 9) : (45 \div 9)$
$\rightarrow \boxed{} : 5$

⑤ $6 : 10 \rightarrow (6 \div 2) : (10 \div \boxed{})$
$\rightarrow 3 : \boxed{}$

⑥ $24 : 27 \rightarrow (24 \div 3) : (27 \div \boxed{})$
$\rightarrow 8 : \boxed{}$

⑦ $24 : 36 \rightarrow (24 \div \boxed{}) : (36 \div 4)$
$\rightarrow \boxed{} : 9$

⑧ $25 : 35 \rightarrow (25 \div \boxed{}) : (35 \div 5)$
$\rightarrow \boxed{} : 7$

⑨ $21 : 35 \rightarrow (21 \div 7) : (35 \div \boxed{})$
$\rightarrow \boxed{} : \boxed{}$

⑩ $9 : 24 \rightarrow (9 \div \boxed{}) : (24 \div 3)$
$\rightarrow \boxed{} : \boxed{}$

⑪
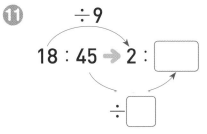
$÷9$

$18 : 45 → 2 : \boxed{}$

$÷\boxed{}$

⑫
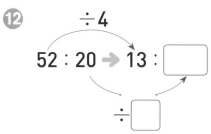
$÷4$

$52 : 20 → 13 : \boxed{}$

$÷\boxed{}$

⑬
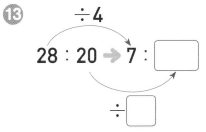
$÷4$

$28 : 20 → 7 : \boxed{}$

$÷\boxed{}$

⑭
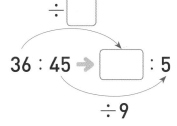
$÷\boxed{}$

$36 : 45 → \boxed{} : 5$

$÷9$

⑮
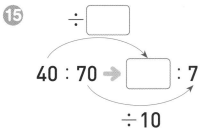
$÷\boxed{}$

$40 : 70 → \boxed{} : 7$

$÷10$

⑯
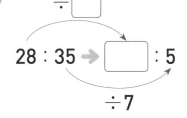
$÷\boxed{}$

$28 : 35 → \boxed{} : 5$

$÷7$

4

비례식과 비례배분

135

⑰
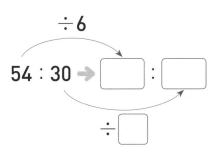
$÷6$

$54 : 30 → \boxed{} : \boxed{}$

$÷\boxed{}$

⑱
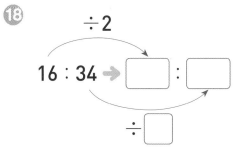
$÷2$

$16 : 34 → \boxed{} : \boxed{}$

$÷\boxed{}$

⑲
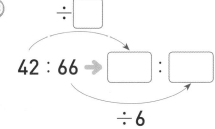
$÷\boxed{}$

$42 : 66 → \boxed{} : \boxed{}$

$÷6$

⑳
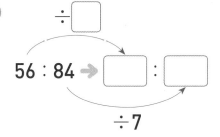
$÷\boxed{}$

$56 : 84 → \boxed{} : \boxed{}$

$÷7$

비의 성질 ②

🐻 비의 성질을 이용하여 비율이 같은 비가 되도록 ★에 알맞은 수를 구하세요.

1 | 24 : 18 ➡ ★ : 3 |

★ = ☐

2 | 14 : 63 ➡ ★ : 9 |

★ = ☐

3 | 34 : 12 ➡ ★ : 6 |

★ = ☐

4 | 30 : 54 ➡ 5 : ★ |

★ = ☐

5 | 40 : 25 ➡ 8 : ★ |

★ = ☐

6 | 21 : 18 ➡ 7 : ★ |

★ = ☐

4

비례식과 비례배분

🐻 비의 성질을 이용하여 주어진 비와 비율이 같은 비를 찾아 ○표 하세요.

7 21 : 14 — 3 : 2 7 : 2

8 24 : 20 — 20 : 16 6 : 5

9 54 : 48 — 6 : 5 9 : 8

10 36 : 63 — 4 : 7 3 : 4

생활 속 문제

🐻 왼쪽 천을 오른쪽과 같은 가로와 세로의 비로 잘라 옷을 만들려고 합니다. 비의 성질을 이용하여 ■의 값을 구하세요.

11
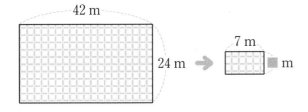

42 : 24 ➡ 7 : ■

■ = ☐

12
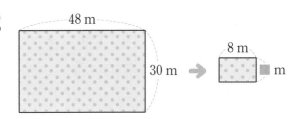

48 : 30 ➡ 8 : ■

■ = ☐

13
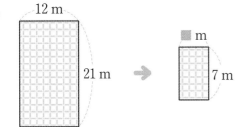

12 : 21 ➡ ■ : 7

■ = ☐

14
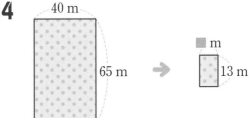

40 : 65 ➡ ■ : 13

■ = ☐

문장 읽고 문제 해결하기

15   48 : 78과 비율이 같은 비를 만들면?

답   16 : ☐ , ☐ : 13

16   54 : 42와 비율이 같은 비를 만들면?

답   27 : ☐ , ☐ : 7

17   40 : 24와 비율이 같은 비를 만들면?

답   ☐ : 12, 5 : ☐

18   48 : 56과 비율이 같은 비를 만들면?

답   ☐ : 14, 6 : ☐

3 일차

간단한 자연수의 비로 나타내기 ①

 이렇게 해결하자

• 28 : 35를 가장 간단한 자연수의 비로 나타내기

28 : 35 ➔ (28 ÷ 7) : (35 ÷ 7)

➔ 4 : 5

28과 35의 최대공약수 7로 나눕니다.

가장 간단한 자연수의 비로 나타내기 위해 두 수의 최대공약수로 나눠요.

비를 간단한 자연수의 비로 나타내려고 합니다. ☐ 안에 알맞은 수를 써넣으세요.

❶

30 : 20 ➔ (30 ÷ 2) : (20 ÷ 2)

➔ ☐ : ☐

30 : 20 ➔ (30 ÷ 10) : (20 ÷ 10)

➔ ☐ : ☐

❷

60 : 42 ➔ (60 ÷ 3) : (42 ÷ ☐)

➔ 20 : ☐

60 : 42 ➔ (60 ÷ 6) : (42 ÷ ☐)

➔ 10 : ☐

❸

70 : 28 ➔ (70 ÷ ☐) : (28 ÷ 2)

➔ ☐ : 14

70 : 28 ➔ (70 ÷ 14) : (28 ÷ ☐)

➔ 5 : ☐

❹

81 : 72 ➔ (81 ÷ ☐) : (72 ÷ 3)

➔ ☐ : 24

81 : 72 ➔ (81 ÷ 9) : (72 ÷ ☐)

➔ 9 : ☐

4

비례식과 비례배분

138

기초 계산 연습

🐻 비를 가장 간단한 자연수의 비로 나타내 보세요.

⑤ 56 : 40 ➡ (56÷8) : (40÷ ☐)

➡ ☐ : ☐

⑥ 63 : 28 ➡ (63÷7) : (28÷ ☐)

➡ ☐ : ☐

⑦ 45 : 70 ➡ (45÷5) : (70÷ ☐)

➡ ☐ : ☐

⑧ 60 : 45 ➡ (60÷ ☐) : (45÷15)

➡ ☐ : ☐

⑨ 16 : 64 ➡ (16÷ ☐) : (64÷16)

➡ ☐ : ☐

⑩ 36 : 54 ➡ (36÷ ☐) : (54÷18)

➡ ☐ : ☐

⑪ 63 : 14 ➡ ☐ : ☐

⑫ 18 : 15 ➡ ☐ : ☐

⑬ 54 : 30 ➡ ☐ : ☐

⑭ 33 : 18 ➡ ☐ : ☐

⑮ 28 : 36 ➡ ☐ : ☐

⑯ 30 : 24 ➡ ☐ : ☐

간단한 자연수의 비로 나타내기 ①

🐻 ☐ 안에 알맞은 수를 써넣어 비를 간단한 자연수의 비로 나타내 보세요.

1
÷4

16 : 24 ➡ 4 : ☐

÷4

2
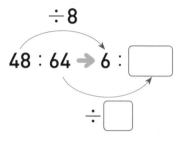

÷8

48 : 64 ➡ 6 : ☐

÷☐

3
÷6

54 : 18 ➡ 9 : ☐

÷☐

4
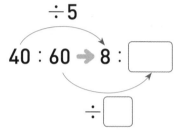

÷5

40 : 60 ➡ 8 : ☐

÷☐

5
÷☐

45 : 30 ➡ ☐ : 6

÷5

6
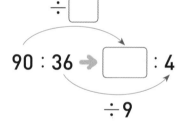

÷☐

90 : 36 ➡ ☐ : 4

÷9

🐻 비를 가장 간단한 자연수의 비로 나타내 보세요.

7
45 : 9

8
54 : 60

9
72 : 45

10
20 : 36

11
30 : 48

12
28 : 20

플러스 계산 연습

생활 속 문제

잼을 만들 때 사용한 설탕과 과일의 무게의 비를 가장 간단한 자연수의 비로 나타내 보세요.

13

40 kg

44 : 40 ➡ ☐ : ☐

14

36 kg

설탕 42 kg

42 : 36 ➡ ☐ : ☐

15

40 kg

48 : 40 ➡ ☐ : ☐

16

36 kg

설탕 45 kg

45 : 36 ➡ ☐ : ☐

문장 읽고 문제 해결하기

17

사과 28개와 참외 16개가 있을 때 사과와 참외 개수의 비를 가장 간단한 자연수의 비로 나타내면?

답  ☐ : ☐

18

감자 27개와 당근 45개가 있을 때 감자와 당근 개수의 비를 가장 간단한 자연수의 비로 나타내면?

답 ☐ : ☐

19

땅콩 44개와 호두 52개가 있을 때 땅콩과 호두 개수의 비를 가장 간단한 자연수의 비로 나타내면?

답  ☐ : ☐

20

사탕 84개와 젤리 54개가 있을 때 사탕과 젤리 개수의 비를 가장 간단한 자연수의 비로 나타내면?

답 ☐ : ☐

4

비례식과 비례배분

141

간단한 자연수의 비로 나타내기 ②

• 0.8 : 1.6을 가장 간단한 자연수의 비로 나타내기

$$0.8 : 1.6 \rightarrow (0.8 \times 10) : (1.6 \times 10)$$

$$\rightarrow 8 : 16$$

$$\rightarrow (8 \div 8) : (16 \div 8)$$

$$\rightarrow 1 : 2$$

전항과 후항이 소수 한 자리 수이므로 10을 곱합니다.

8과 16의 최대공약수 8로 나눕니다.

소수의 비를 자연수의 비로 나타낸 후 각 항을 두 수의 최대공약수로 나눠요.

 비를 간단한 자연수의 비로 나타내려고 합니다. ☐ 안에 알맞은 수를 써넣으세요.

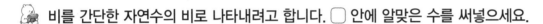

❶ $0.7 : 3.5 \rightarrow (0.7 \times \boxed{}) : (3.5 \times 10) \rightarrow \boxed{} : 35$

❷ $1.2 : 1.5 \rightarrow (1.2 \times \boxed{}) : (1.5 \times 10) \rightarrow \boxed{} : 15$

❸ $1.6 : 4.2 \rightarrow (1.6 \times \boxed{}) : (4.2 \times 10) \rightarrow \boxed{} : 42$

❹ $4.8 : 2.4 \rightarrow (4.8 \times 10) : (2.4 \times \boxed{}) \rightarrow 48 : \boxed{}$

❺ $0.09 : 0.36 \rightarrow (0.09 \times 100) : (0.36 \times \boxed{}) \rightarrow 9 : \boxed{}$

❻ $1.24 : 2.88 \rightarrow (1.24 \times 100) : (2.88 \times \boxed{}) \rightarrow 124 : \boxed{}$

 비를 가장 간단한 자연수의 비로 나타내 보세요.

⑦ 0.4 : 2.8 ➡ (0.4 × 10) : (2.8 × ☐)

➡ 4 : ☐

➡ (4 ÷ 4) : (28 ÷ ☐)

➡ ☐ : ☐

⑧ 2.7 : 3.6 ➡ (2.7 × 10) : (3.6 × ☐)

➡ 27 : ☐

➡ (27 ÷ 9) : (36 ÷ ☐)

➡ ☐ : ☐

⑨ 4.2 : 0.6 ➡ (4.2 × ☐) : (0.6 × 10)

➡ ☐ : 6

➡ (42 ÷ ☐) : (6 ÷ 6)

➡ ☐ : ☐

⑩ 1.6 : 5.6 ➡ (1.6 × ☐) : (5.6 × 10)

➡ ☐ : 56

➡ (16 ÷ ☐) : (56 ÷ 8)

➡ ☐ : ☐

⑪ 1.8 : 2.4 ➡ ☐ : ☐

⑫ 6.3 : 4.9 ➡ ☐ : ☐

⑬ 1.2 : 4.5 ➡ ☐ : ☐

⑭ 3.2 : 1.6 ➡ ☐ : ☐

⑮ 5.2 : 3.9 ➡ ☐ : ☐

⑯ 2.5 : 3.5 ➡ ☐ : ☐

⑰ 0.24 : 0.28 ➡ ☐ : ☐

⑱ 1.44 : 6.48 ➡ ☐ : ☐

간단한 자연수의 비로 나타내기 ②

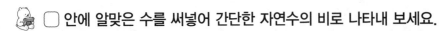 □ 안에 알맞은 수를 써넣어 간단한 자연수의 비로 나타내 보세요.

1 0.6 : 0.8 ➡ 6 : □

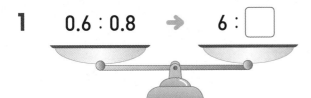

2 1.6 : 2.4 ➡ □ : 12

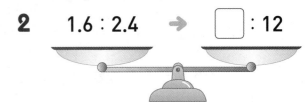

3 6.3 : 4.2 ➡ 9 : □

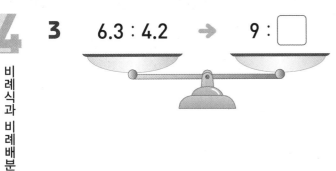

4 4.8 : 7.2 ➡ 8 : □

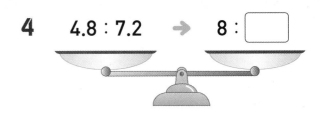

 비를 가장 간단한 자연수의 비로 나타내 보세요.

5 0.9 : 2.4

6 4.5 : 3.5

7 3.5 : 4.2

8 0.4 : 2.2

9 3.3 : 1.2

10 4.8 : 7.8

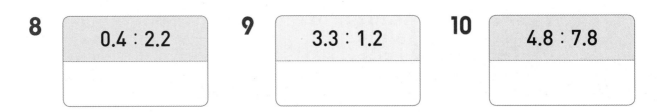

플러스 계산 연습

생활 속 문제

 책의 가로와 세로의 비를 가장 간단한 자연수의 비로 나타내 보세요.

11 34.2 cm

15.2 cm

15.2 : 34.2 ➡ ☐ : ☐

12 27.5 cm

16.5 cm

16.5 : 27.5 ➡ ☐ : ☐

13 23.4 cm

14.4 cm

14.4 : 23.4 ➡ ☐ : ☐

14 35.2 cm

19.2 cm

19.2 : 35.2 ➡ ☐ : ☐

문장 읽고 문제 해결하기

15 설탕 3.9 kg과 소금 5.2 kg이 있을 때 설탕과 소금 무게의 비를 가장 간단한 자연수의 비로 나타내면?

답 ☐ : ☐

16 포도 4.5 kg과 딸기 1.2 kg이 있을 때 포도와 딸기 무게의 비를 가장 간단한 자연수의 비로 나타내면?

답 ☐ : ☐

17 리본 0.54 m와 털실 0.82 m가 있을 때 리본과 털실 길이의 비를 가장 간단한 자연수의 비로 나타내면?

답 ☐ : ☐

18 막대 0.84 m와 노끈 1.56 m가 있을 때 막대와 노끈 길이의 비를 가장 간단한 자연수의 비로 나타내면?

답 ☐ : ☐

간단한 자연수의 비로 나타내기 ③

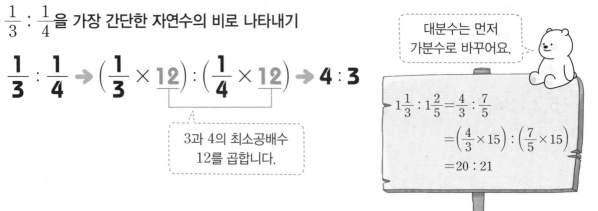

• $\frac{1}{3} : \frac{1}{4}$ 을 가장 간단한 자연수의 비로 나타내기

$$\frac{1}{3} : \frac{1}{4} \rightarrow \left(\frac{1}{3} \times 12\right) : \left(\frac{1}{4} \times 12\right) \rightarrow 4 : 3$$

3과 4의 최소공배수 12를 곱합니다.

대분수는 먼저 가분수로 바꾸어요.

$$1\frac{1}{3} : 1\frac{2}{5} = \frac{4}{3} : \frac{7}{5}$$
$$= \left(\frac{4}{3} \times 15\right) : \left(\frac{7}{5} \times 15\right)$$
$$= 20 : 21$$

4

비례식과 비례배분

비를 간단한 자연수의 비로 나타내려고 합니다. ☐ 안에 알맞은 수를 써넣으세요.

① $\frac{1}{4} : \frac{6}{7} \rightarrow \left(\frac{1}{4} \times 28\right) : \left(\frac{6}{7} \times \boxed{}\right)$
$\rightarrow 7 : \boxed{}$

② $\frac{5}{8} : \frac{1}{3} \rightarrow \left(\frac{5}{8} \times 24\right) : \left(\frac{1}{3} \times \boxed{}\right)$
$\rightarrow 15 : \boxed{}$

146

③ $\frac{2}{5} : \frac{2}{3} \rightarrow \left(\frac{2}{5} \times 15\right) : \left(\frac{2}{3} \times \boxed{}\right)$
$\rightarrow 6 : \boxed{}$

④ $\frac{1}{4} : \frac{8}{9} \rightarrow \left(\frac{1}{4} \times 36\right) : \left(\frac{8}{9} \times \boxed{}\right)$
$\rightarrow 9 : \boxed{}$

⑤ $\frac{2}{7} : \frac{3}{4} \rightarrow \left(\frac{2}{7} \times \boxed{}\right) : \left(\frac{3}{4} \times 28\right)$
$\rightarrow \boxed{} : 21$

⑥ $\frac{3}{5} : \frac{1}{6} \rightarrow \left(\frac{3}{5} \times \boxed{}\right) : \left(\frac{1}{6} \times 30\right)$
$\rightarrow \boxed{} : 5$

⑦ $\frac{5}{6} : \frac{3}{8} \rightarrow \left(\frac{5}{6} \times \boxed{}\right) : \left(\frac{3}{8} \times 24\right)$
$\rightarrow \boxed{} : 9$

⑧ $\frac{3}{4} : \frac{5}{6} \rightarrow \left(\frac{3}{4} \times \boxed{}\right) : \left(\frac{5}{6} \times 12\right)$
$\rightarrow \boxed{} : 10$

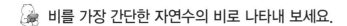 비를 가장 간단한 자연수의 비로 나타내 보세요.

⑨ $\dfrac{1}{8} : \dfrac{1}{12}$ → $\left(\dfrac{1}{8} \times 24\right) : \left(\dfrac{1}{12} \times \boxed{}\right)$

→ $\boxed{} : \boxed{}$

⑩ $\dfrac{3}{4} : \dfrac{5}{16}$ → $\left(\dfrac{3}{4} \times \boxed{}\right) : \left(\dfrac{5}{16} \times 16\right)$

→ $\boxed{} : \boxed{}$

⑪ $\dfrac{1}{6} : \dfrac{4}{9}$ → $\boxed{} : \boxed{}$

⑫ $\dfrac{6}{7} : \dfrac{3}{8}$ → $\boxed{} : \boxed{}$

⑬ $\dfrac{7}{12} : \dfrac{5}{18}$ → $\boxed{} : \boxed{}$

⑭ $\dfrac{11}{30} : \dfrac{2}{45}$ → $\boxed{} : \boxed{}$

⑮ $1\dfrac{2}{3} : \dfrac{3}{4}$ → $\boxed{} : \boxed{}$

⑯ $4\dfrac{1}{6} : \dfrac{9}{10}$ → $\boxed{} : \boxed{}$

⑰ $1\dfrac{1}{4} : \dfrac{1}{4}$ → $\boxed{} : \boxed{}$

⑱ $2\dfrac{2}{5} : \dfrac{11}{15}$ → $\boxed{} : \boxed{}$

⑲ $1\dfrac{3}{4} : 1\dfrac{1}{2}$ → $\boxed{} : \boxed{}$

⑳ $1\dfrac{2}{5} : 1\dfrac{3}{4}$ → $\boxed{} : \boxed{}$

4

비례식과 비례배분

147

간단한 자연수의 비로 나타내기 ③

 비의 성질을 이용하여 ☐ 안에 알맞은 수를 써넣으세요.

1 $\dfrac{1}{2} : \dfrac{2}{3}$ ➡ ☐ : 4

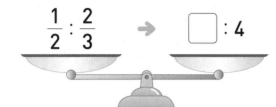

2 $\dfrac{5}{6} : \dfrac{3}{10}$ ➡ 25 : ☐

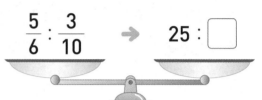

3 $\dfrac{2}{15} : \dfrac{5}{12}$ ➡ 8 : ☐

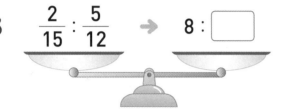

4 $\dfrac{1}{6} : \dfrac{3}{4}$ ➡ ☐ : 9

 비를 가장 간단한 자연수의 비로 나타내 보세요.

5 $\dfrac{7}{10} : \dfrac{3}{8}$

6 $\dfrac{1}{4} : \dfrac{3}{10}$

7 $\dfrac{11}{12} : \dfrac{9}{16}$

8 $1\dfrac{1}{3} : \dfrac{3}{4}$

9 $\dfrac{1}{4} : 2\dfrac{1}{6}$

10 $2\dfrac{3}{8} : 1\dfrac{5}{6}$

省略

생활 속 문제

🐻 친구들이 가지고 있는 초록색 리본과 노란색 리본의 길이의 비를 가장 간단한 자연수의 비로 나타내 보세요.

11   $\frac{2}{3}$ m 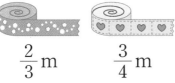 $\frac{3}{4}$ m

$\frac{2}{3} : \frac{3}{4}$ ➡ ☐ : ☐

12   $\frac{4}{5}$ m $\frac{1}{2}$ m

$\frac{4}{5} : \frac{1}{2}$ ➡ ☐ : ☐

13   $\frac{5}{6}$ m 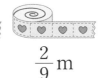 $\frac{2}{9}$ m

$\frac{5}{6} : \frac{2}{9}$ ➡ ☐ : ☐

14   $\frac{7}{8}$ m $\frac{5}{12}$ m

$\frac{7}{8} : \frac{5}{12}$ ➡ ☐ : ☐

4 비례식과 비례배분

문장 읽고 문제 해결하기

15 우유 $\frac{1}{2}$L와 주스 $\frac{3}{4}$L가 있을 때 우유와 주스 양의 비를 가장 간단한 자연수의 비로 나타내면?

답 ☐ : ☐

16 콜라 $\frac{5}{6}$L와 식혜 $\frac{4}{9}$L가 있을 때 콜라와 식혜 양의 비를 가장 간단한 자연수의 비로 나타내면?

답 ☐ : ☐

149

17 마늘 $3\frac{1}{8}$kg과 생강 $2\frac{1}{6}$kg이 있을 때 마늘과 생강 무게의 비를 가장 간단한 자연수의 비로 나타내면?

답 ☐ : ☐

18 체리 $\frac{7}{12}$kg과 키위 $1\frac{3}{10}$kg이 있을 때 체리와 키위 무게의 비를 가장 간단한 자연수의 비로 나타내면?

답 ☐ : ☐

비례식 알아보기

• 비례식으로 나타내기

외항 ─ 바깥쪽에 있는 항

$$4 : 6 = 2 : 3$$

내항 ─ 안쪽에 있는 항

비율이 같은 두 비를 기호 '='를 사용하여 나타낸 식을 비례식 이라고 해요.

비율이 같은 두 비를 찾아 비례식을 세워 보세요.

4 비례식과 비례배분

❶
2 : 7   4 : 14   6 : 8

➜ 2 : 7 = ☐ : ☐

❷
7 : 4   14 : 6   21 : 12

➜ 7 : 4 = ☐ : ☐

❸
15 : 12   4 : 3   5 : 4

➜ 15 : 12 = ☐ : ☐

❹
18 : 12   3 : 2   5 : 2

➜ 18 : 12 = ☐ : ☐

❺
3 : 5   5 : 7   9 : 15

➜ _____

❻
2 : 5   8 : 20   6 : 10

➜ _____

❼
6 : 16   15 : 40   18 : 45

➜ _____

❽
3 : 4   4 : 6   6 : 8

➜ _____

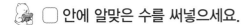 ☐ 안에 알맞은 수를 써넣으세요.

⑨ 외항: 4, ☐

$$4 : 3 = 12 : 9$$

내항: 3, ☐

⑩ 외항: 8, ☐

$$8 : 12 = 24 : 36$$

내항: 12, ☐

⑪ 외항: 5, ☐

$$5 : 3 = 35 : 21$$

내항: 3, ☐

⑫ 외항: 6, ☐

$$6 : 7 = 36 : 42$$

내항: 7, ☐

⑬ 외항: 7, ☐

$$7 : 9 = 49 : 63$$

내항: 9, ☐

⑭ 외항: 8, ☐

$$8 : 13 = 24 : 39$$

내항: 13, ☐

⑮ 외항: 7, ☐

$$7 : ☐ = 49 : 14$$

내항: 2, ☐

⑯ 외항: 4, ☐

$$4 : ☐ = 20 : 45$$

내항: 9, ☐

⑰ 외항: 13, ☐

$$13 : ☐ = 65 : 25$$

내항: 5, ☐

⑱ 외항: 14, ☐

$$☐ : 5 = 42 : 15$$

내항: 5, ☐

⑲ 외항: 6, ☐

$$☐ : 11 = 54 : 99$$

내항: 11, ☐

⑳ 외항: 8, ☐

$$☐ : 3 = 72 : 27$$

내항: 3, ☐

4

비례식과 비례배분

151

비례식 알아보기

 보기 와 같이 비율을 보고 비례식으로 나타내 보세요.

보기

$$\frac{4}{5} = \frac{8}{10}$$
➡ $4 : 5 = 8 : 10$

1 $\frac{8}{9} = \frac{24}{27}$

➡ _____

2 $\frac{5}{6} = \frac{20}{24}$

➡ _____

3 $\frac{7}{15} = \frac{14}{30}$

➡ _____

4 $\frac{4}{7} = \frac{16}{28}$

➡ _____

5 $\frac{9}{11} = \frac{36}{44}$

➡ _____

비례식을 보고 외항과 내항을 각각 쓰세요.

6 $5 : 11 = 30 : 66$

외항 _____

내항 _____

7 $7 : 3 = 28 : 12$

외항 _____

내항 _____

8 $6 : 13 = 36 : 78$

외항 _____

내항 _____

9 $8 : 15 = 24 : 45$

외항 _____

내항 _____

플러스 계산 연습

생활 속 문제

🐻 외항과 내항을 바르게 찾은 학생은 ○표, 잘못 찾은 학생은 ×표 하세요.

10
2 : 5＝4 : 10
┌외항: 2, 10
└내항: 5, 4

11
3 : 5＝15 : 25
┌외항: 3, 5
└내항: 15, 25

12
9 : 2＝27 : 6
┌외항: 9, 6
└내항: 2, 27

13
8 : 7＝56 : 49
┌외항: 7, 49
└내항: 8, 56

14
7 : 4＝21 : 12
┌외항: 7, 12
└내항: 4, 21

15
13 : 26＝1 : 2
┌외항: 13, 2
└내항: 26, 1

문장 읽고 문제 해결하기

16 비례식 17 : 15＝34 : 30에서 외항
이면서 전항인 수는?

답 ＿＿＿＿＿＿＿＿＿＿

17 비례식 8 : 3＝56 : 21에서 외항이면
서 후항인 수는?

답 ＿＿＿＿＿＿＿＿＿＿

18 비례식 5 : 9＝25 : 45에서 내항이면
서 후항인 수는?

답 ＿＿＿＿＿＿＿＿＿＿

19 비례식 6 : 7＝48 : 56에서 내항이면
서 전항인 수는?

 답 ＿＿＿＿＿＿＿＿＿＿

7 일차

비례식의 성질

이렇게 해결하자

• 비례식의 성질

외항의 곱 → **3 × 8 = 24**

3 : 4 = 6 : 8 곱이 같아요.

내항의 곱 → **4 × 6 = 24**

비례식에서 외항의 곱과 내항의 곱은 같아요.

비례식에서 외항의 곱과 내항의 곱을 구하세요.

4

비례식과 비례배분

❶

$$3 : 5 = 15 : 25$$

외항의 곱	$3 \times \boxed{} = \boxed{}$
내항의 곱	$5 \times \boxed{} = \boxed{}$

❷

$$2 : 7 = 6 : 21$$

외항의 곱	$2 \times \boxed{} = \boxed{}$
내항의 곱	$7 \times \boxed{} = \boxed{}$

❸

$$1 : 1.8 = 20 : 36$$

외항의 곱	$1 \times \boxed{} = \boxed{}$
내항의 곱	$1.8 \times \boxed{} = \boxed{}$

❹

$$6\frac{1}{2} : 11 = 26 : 44$$

외항의 곱	$6\frac{1}{2} \times \boxed{} = \boxed{}$
내항의 곱	$11 \times \boxed{} = \boxed{}$

154

기초 계산 연습

🐻 ◻ 안에 알맞은 수를 써넣고 비례식이면 ◯표, 비례식이 <u>아니면</u> ×표 하세요.

⑤
$4 \times 8 = \boxed{}$

$4 : 2 = 16 : 8$　　（　　　）

$2 \times 16 = \boxed{}$

⑥
$4 \times 21 = \boxed{}$

$4 : 7 = 12 : 21$　　（　　　）

$7 \times 12 = \boxed{}$

⑦
$3 \times 16 = \boxed{}$

$3 : 8 = 9 : 16$　　（　　　）

$8 \times 9 = \boxed{}$

⑧
$5 \times 27 = \boxed{}$

$5 : 9 = 15 : 27$　　（　　　）

$9 \times 15 = \boxed{}$

⑨
$5 \times 96 = \boxed{}$

$5 : 12 = 40 : 96$　　（　　　）

$12 \times 40 = \boxed{}$

⑩
$3 \times 15 = \boxed{}$

$3 : 4 = 12 : 15$　　（　　　）

$4 \times 12 = \boxed{}$

⑪
$7 \times 36 = \boxed{}$

$7 : 9 = 28 : 36$　　（　　　）

$9 \times 28 = \boxed{}$

⑫
$8 \times 45 = \boxed{}$

$8 : 15 = 24 : 45$　　（　　　）

$15 \times 24 = \boxed{}$

⑬
$4 \times 24 = \boxed{}$

$4 : 3.5 = 28 : 24$　　（　　　）

$3.5 \times 28 = \boxed{}$

⑭
$6 \times 45 = \boxed{}$

$6 : 4\frac{1}{2} = 60 : 45$　　（　　　）

$4\frac{1}{2} \times 60 = \boxed{}$

비례식의 성질

🐻 비례식이 바른 것을 찾아 기호를 쓰세요.

1
㉠ $4 : 5 = 32 : 45$
㉡ $10 : 3 = 50 : 15$
㉢ $7 : 10 = 56 : 90$

☐

2
㉠ $3 : 7 = 12 : 28$
㉡ $11 : 15 = 33 : 30$
㉢ $5 : 12 = 35 : 72$

☐

3
㉠ $5 : 4 = 35 : 32$
㉡ $7 : 4 = 35 : 20$
㉢ $9 : 7 = 45 : 42$

☐

4
㉠ $8 : 13 = 24 : 26$
㉡ $12 : 15 = 36 : 60$
㉢ $2 : 3 = 14 : 21$

☐

🐻 비례식의 성질을 이용하여 비례식이면 ○표, 비례식이 <u>아니면</u> ×표 하세요.

5 $3 : 4 = 18 : 24$ ☐

6 $7 : 3 = 21 : 12$ ☐

7 $21 : 14 = 3 : 2$ ☐

8 $16 : 3 = 64 : 9$ ☐

9 $0.4 : 0.9 = 16 : 45$ ☐

10 $11 : 12\frac{1}{4} = 44 : 49$ ☐

외항의 곱과 내항의 곱이 같도록 비례식으로 나타내 보세요.

11

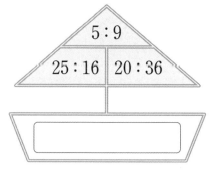

5 : 9

25 : 16　20 : 36

12

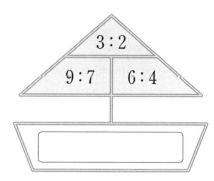

3 : 2

9 : 7　6 : 4

13

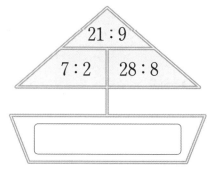

21 : 9

7 : 2　28 : 8

14

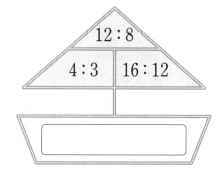

12 : 8

4 : 3　16 : 12

문장 읽고 문제 해결하기

15 　외항의 곱이 42일 때 내항의 곱은?

답 _____

16 　내항의 곱이 84일 때 외항의 곱은?

답 _____

17 　■ : 6 = 35 : ▲ 에서 외항의 곱은?

답 _____

18 　8 : ■ = ▲ : 18에서 내항의 곱은?

답 _____

비례식의 성질 활용하기 ①

• 비례식의 성질을 이용하여 ●의 값 구하기 — 모르는 수가 외항에 있는 경우

$$4 : 7 = 20 : ●$$
(4 × ●)
(7 × 20)

→ $4 × ● = 7 × 20$
$4 × ● = 140$
$● = 140 ÷ 4$
$= 35$

> 비례식에서 외항의 곱과 내항의 곱은 같아요.

 비례식의 성질을 이용하여 ●의 값을 구하세요.

4
비례식과 비례배분

158

① $4 : 5 = 12 : ●$

$4 × ● = 5 × 12$
$4 × ● = \boxed{}$
$= \boxed{} ÷ 4$
$= \boxed{}$

② $7 : 2 = 49 : ●$

$7 × ● = 2 × 49$
$7 × ● = \boxed{}$
$● = \boxed{} ÷ 7$
$● = \boxed{}$

③ $3 : 11 = 12 : ●$

$3 × ● = 11 × 12$
$3 × ● = \boxed{}$
$● = \boxed{} ÷ 3$
$● = \boxed{}$

④ $16 : 20 = 4 : ●$

$16 × ● = 20 × 4$
$16 × ● = \boxed{}$
$● = \boxed{} ÷ 16$
$● = \boxed{}$

⑤ $● : 36 = 13 : 6$

$● × 6 = 36 × 13$
$● × 6 = \boxed{}$
$● = \boxed{} ÷ 6$
$● = \boxed{}$

⑥ $● : 9 = 56 : 63$

$● × 63 = 9 × 56$
$● × 63 = \boxed{}$
$● = \boxed{} ÷ 63$
$● = \boxed{}$

기초 계산 연습

🐻 비례식의 성질을 이용하여 ★의 값을 구하세요.

7 $3 : 15 = 15 : ★$

★ = ☐

8 $5 : 9 = 25 : ★$

★ = ☐

9 $9 : 6 = 18 : ★$

★ = ☐

10 $72 : 80 = 9 : ★$

★ = ☐

11 $7 : 6 = 21 : ★$

★ = ☐

12 $8 : 3 = 40 : ★$

★ = ☐

13 $★ : 9 = 20 : 45$

★ = ☐

14 $★ : 9 = 14 : 63$

★ = ☐

15 $★ : 5 = 32 : 20$

★ = ☐

16 $★ : 30 = 9 : 5$

★ = ☐

17 $★ : 4 = 30 : 24$

★ = ☐

18 $★ : 5 = 9 : 15$

★ = ☐

비례식의 성질 활용하기 ①

 비례식의 성질을 이용하여 ☐ 안에 알맞은 수를 써넣으세요.

1 $7 : 8 = 42 : \boxed{}$

2 $14 : 5 = 56 : \boxed{}$

3 $\boxed{} : 1.3 = 42 : 91$

4 $\boxed{} : 9\frac{3}{5} = 75 : 48$

 비례식에서 외항의 곱이 주어졌을 때 ㉠과 ㉡을 구하세요.

5

외항의 곱 **160**
㉠ : 8 = ㉡ : 32

㉠= $\boxed{}$, ㉡= $\boxed{}$

6

외항의 곱 **175**
㉠ : 5 = ㉡ : 25

㉠= $\boxed{}$, ㉡= $\boxed{}$

7

외항의 곱 **210**
㉠ : 5 = ㉡ : 35

㉠= $\boxed{}$, ㉡= $\boxed{}$

8

외항의 곱 **108**
9 : ㉠ = 54 : ㉡

㉠= $\boxed{}$, ㉡= $\boxed{}$

9

외항의 곱 **84**
6 : ㉠ = 12 : ㉡

㉠= $\boxed{}$, ㉡= $\boxed{}$

10

외항의 곱 **63**
3 : ㉠ = 9 : ㉡

㉠= $\boxed{}$, ㉡= $\boxed{}$

플러스 계산 연습

생활 속 문제

밭에서 캔 감자와 고구마의 비가 다음과 같을 때 비례식의 성질을 이용하여 ★에 알맞은 수를 구하세요.

11
 4 : 3
감자 32 kg
고구마 ★ kg

4 : 3 = ☐ : ★

★ = ☐

12
 9 : 16
감자 54 kg
고구마 ★ kg

9 : 16 = ☐ : ★

★ = ☐

13
 ★ : 28
감자 8 kg
고구마 7 kg

★ : 28 = ☐ : 7

★ = ☐

14
 ★ : 36
감자 29 kg
고구마 12 kg

★ : 36 = 29 : ☐

★ = ☐

4

비례식과 비례배분

161

문장 읽고 문제 해결하기

15
종이꽃 3개를 만들려면 색종이 2장이 필요합니다. 종이꽃 9개를 만들려면 필요한 색종이는 몇 장?

➡●장

비례식 3 : 2 = ☐ : ●

답 ＿＿＿＿＿ 장

16
종이꽃 4개를 만들려면 색종이 5장이 필요합니다. 종이꽃 8개를 만들려면 필요한 색종이는 몇 장?

➡●장

비례식 4 : 5 = ☐ : ●

답 ＿＿＿＿＿ 장

17
상자 3개를 포장하려면 리본 5개가 필요합니다. 상자 15개를 포장하려면 필요한 리본은 몇 개?

답 ＿＿＿＿＿ 개

18
상자 5개를 포장하려면 리본 6개가 필요합니다. 상자 35개를 포장하려면 필요한 리본은 몇 개?

답 ＿＿＿＿＿ 개

9 일차

비례식의 성질 활용하기 ②

이렇게 해결하자

- 비례식의 성질을 이용하여 ▲의 값 구하기 — 모르는 수가 내항에 있는 경우

$$6 : 5 = ▲ : 40$$
6×40
$5 \times ▲$

→ $6 \times 40 = 5 \times ▲$
$5 \times ▲ = 240$
$▲ = 240 \div 5$
$= 48$

비례식의 성질을 이용하여 ▲의 값을 구하세요.

4

비례식과 비례배분

162

① $9 : 4 = ▲ : 28$

$9 \times 28 = 4 \times ▲$

$4 \times ▲ = \boxed{}$

$▲ = \boxed{} \div 4$

$▲ = \boxed{}$

② $3 : 7 = ▲ : 56$

$3 \times 56 = 7 \times ▲$

$7 \times ▲ = \boxed{}$

$▲ = \boxed{} \div 7$

$▲ = \boxed{}$

③ $6 : 5 = ▲ : 35$

$6 \times 35 = 5 \times ▲$

$5 \times ▲ = \boxed{}$

$▲ = \boxed{} \div 5$

$▲ = \boxed{}$

④ $7 : ▲ = 42 : 36$

$7 \times 36 = ▲ \times 42$

$▲ \times 42 = \boxed{}$

$▲ = \boxed{} \div 42$

$▲ = \boxed{}$

⑤ $8 : ▲ = 32 : 20$

$8 \times 20 = ▲ \times 32$

$▲ \times 32 = \boxed{}$

$▲ = \boxed{} \div 32$

$▲ = \boxed{}$

⑥ $2 : ▲ = 6 : 27$

$2 \times 27 = ▲ \times 6$

$▲ \times 6 = \boxed{}$

$▲ = \boxed{} \div 6$

$▲ = \boxed{}$

🐻 비례식의 성질을 이용하여 ■의 값을 구하세요.

7 $6 : 7 = ■ : 21$

■ = ☐

8 $9 : 4 = ■ : 24$

■ = ☐

9 $10 : 3 = ■ : 24$

■ = ☐

10 $8 : 11 = ■ : 33$

■ = ☐

11 $5 : 8 = ■ : 72$

■ = ☐

12 $2 : 9 = ■ : 54$

■ = ☐

13 $7 : ■ = 35 : 20$

■ = ☐

14 $6 : ■ = 36 : 78$

■ = ☐

15 $3 : ■ = 21 : 28$

■ = ☐

16 $4 : ■ = 16 : 44$

■ = ☐

17 $13 : ■ = 65 : 40$

■ = ☐

18 $5 : ■ = 35 : 21$

■ = ☐

4

비례식과 비례배분

163

비례식의 성질 활용하기 ②

 비례식의 성질을 이용하여 ☐ 안에 알맞은 수를 써넣으세요.

1 $5 : 3 =$ ☐ $: 21$

2 $7 : 12 =$ ☐ $: 48$

3 $0.8 :$ ☐ $= 48 : 90$

4 $15\frac{1}{2} :$ ☐ $= 62 : 52$

 비례식에서 내항의 곱이 주어졌을 때 ㉠과 ㉡을 구하세요.

5

내항의 곱 **196**
㉠ $: 7 =$ ㉡ $: 49$

㉠ = ☐ , ㉡ = ☐

6

내항의 곱 **135**
㉠ $: 3 =$ ㉡ $: 27$

㉠ = ☐ , ㉡ = ☐

비례식과 비례배분

7

내항의 곱 **180**
㉠ $: 5 =$ ㉡ $: 30$

㉠ = ☐ , ㉡ = ☐

8

내항의 곱 **48**
$3 :$ ㉠ $= 12 :$ ㉡

㉠ = ☐ , ㉡ = ☐

9

내항의 곱 **120**
$5 :$ ㉠ $= 15 :$ ㉡

㉠ = ☐ , ㉡ = ☐

10

내항의 곱 **144**
$2 :$ ㉠ $= 16 :$ ㉡

㉠ = ☐ , ㉡ = ☐

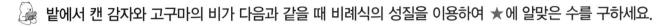
생활 속 문제

🐻 밭에서 캔 감자와 고구마의 비가 다음과 같을 때 비례식의 성질을 이용하여 ★에 알맞은 수를 구하세요.

11
 4 : 7 　감자 ★ kg　고구마 35 kg

4 : 7 = ★ : 35

★ = ☐

12
 7 : 10 　감자 ★ kg　고구마 70 kg

7 : 10 = ★ : 70

★ = ☐

13
 16 : ★ 　감자 48 kg　고구마 27 kg

16 : ★ = 48 : 27

★ = ☐

14
 18 : ★ 　감자 90 kg　고구마 25 kg

18 : ★ = 90 : 25

★ = ☐

문장 읽고 계산식 세우기

15 수수깡 9개로 별 4개를 만들 수 있습니다. 별 24개를 만들려면 필요한 수수깡은 몇 개?

비례식 9 : 4 = ● : ☐

답 _____ 개

16 수수깡 8개로 하트 3개를 만들 수 있습니다. 하트 21개를 만들려면 필요한 수수깡은 몇 개?

비례식 8 : 3 = ● : ☐

답 _____ 개

17 물감 5개로 벽돌 7개를 색칠할 수 있습니다. 벽돌 28개를 색칠하려면 필요한 물감은 몇 개?

답 _____ 개

18 물감 7개로 벽돌 9개를 색칠할 수 있습니다. 벽돌 45개를 색칠하려면 필요한 물감은 몇 개?

답 _____ 개

비례배분 알아보기

이렇게 해결하자

• 15를 2 : 3으로 비례배분하기

$$15 \times \frac{2}{2+3} = 15 \times \frac{2}{5} = 6$$

$$15 \times \frac{3}{2+3} = 15 \times \frac{3}{5} = 9$$

 비례배분은 전체를 주어진 비로 배분하는 것이에요.

 ◯ 안의 수를 주어진 비로 나누어 보세요.

4
비례식과 비례배분

① 35 3 : 4

$$35 \times \frac{3}{3+4} = \boxed{}$$

$$35 \times \frac{\boxed{}}{3+4} = \boxed{}$$

② 28 5 : 2

$$28 \times \frac{5}{5+2} = \boxed{}$$

$$28 \times \frac{\boxed{}}{5+\boxed{}} = \boxed{}$$

③ 70 9 : 5

$$70 \times \frac{9}{9+5} = \boxed{}$$

$$70 \times \frac{\boxed{}}{9+\boxed{}} = \boxed{}$$

④ 44 8 : 3

$$44 \times \frac{8}{8+3} = \boxed{}$$

$$44 \times \frac{\boxed{}}{8+\boxed{}} = \boxed{}$$

⑤ 63 4 : 3

$$63 \times \frac{4}{4+3} = \boxed{}$$

$$63 \times \frac{\boxed{}}{4+\boxed{}} = \boxed{}$$

⑥ 96 7 : 5

$$96 \times \frac{7}{7+5} = \boxed{}$$

$$96 \times \frac{\boxed{}}{7+\boxed{}} = \boxed{}$$

기초 계산 연습

 ⬭ 안의 수를 주어진 비로 나누어 보세요.

7 〔 18 〕 7 : 2 ➡ (　　　,　　　)　　　**8** 〔 24 〕 1 : 5 ➡ (　　　,　　　)

9 〔 50 〕 2 : 3 ➡ (　　　,　　　)　　　**10** 〔 20 〕 1 : 3 ➡ (　　　,　　　)

11 〔 95 〕 3 : 2 ➡ (　　　,　　　)　　　**12** 〔 91 〕 5 : 2 ➡ (　　　,　　　)

13 〔 55 〕 4 : 7 ➡ (　　　,　　　)　　　**14** 〔 65 〕 5 : 8 ➡ (　　　,　　　)

15 〔 72 〕 13 : 11 ➡ (　　　,　　　)　　　**16** 〔 84 〕 13 : 8 ➡ (　　　,　　　)

17 〔 108 〕 4 : 5 ➡ (　　　,　　　)　　　**18** 〔 120 〕 8 : 7 ➡ (　　　,　　　)

비례배분 알아보기

비례배분을 해 보세요.

1 54를 4 : 5로 나누기

$$54 \times \frac{4}{9} = \boxed{}$$

$$54 \times \frac{\boxed{}}{9} = \boxed{}$$

2 80을 2 : 3으로 나누기

$$80 \times \frac{2}{5} = \boxed{}$$

$$80 \times \frac{\boxed{}}{5} = \boxed{}$$

3 4200원을 4 : 3으로 나누기

$$4200 \times \frac{4}{7} = \boxed{} \text{(원)}$$

$$4200 \times \frac{\boxed{}}{7} = \boxed{} \text{(원)}$$

4 7500원을 7 : 8로 나누기

$$7500 \times \frac{7}{15} = \boxed{} \text{(원)}$$

$$7500 \times \frac{\boxed{}}{15} = \boxed{} \text{(원)}$$

수를 주어진 비로 나누어 ◯ 안에 알맞은 수를 써넣으세요.

5 81

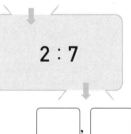

2 : 7

◻ , ◻

6 60

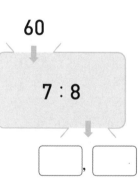

7 : 8

◻ , ◻

7 144

7 : 5

◻ , ◻

8 168

13 : 11

◻ , ◻

플러스 계산 연습

생활 속 계산

🐻 농장에서 수확한 농작물을 두 상자에 쓰인 수의 비로 각각 나누어 담으려고 합니다. 각 상자에 몇 개씩 담아야 하는지 구하세요.

9

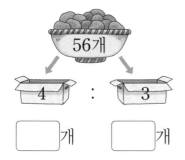

[ ] 개   [ ] 개

10

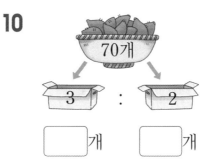

[ ] 개   [ ] 개

11

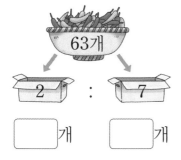

[ ] 개   [ ] 개

12

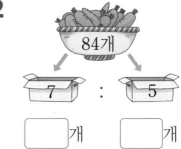

[ ] 개   [ ] 개

문장 읽고 계산식 세우기

13 배 91개를 형과 동생이 4 : 3으로 나누어 가질 때 형이 가지는 배는 몇 개?

식 $91 \times \dfrac{\boxed{}}{7} = \boxed{}$ (개)

14 배 66개를 형과 동생이 7 : 4로 나누어 가질 때 동생이 가지는 배는 몇 개?

식 $66 \times \dfrac{\boxed{}}{11} = \boxed{}$ (개)

15 5600원을 언니와 동생이 5 : 3으로 나누어 가질 때 동생이 가지는 돈은 얼마?

식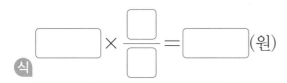

16 6400원을 언니와 동생이 9 : 7로 나누어 가질 때 언니가 가지는 돈은 얼마?

식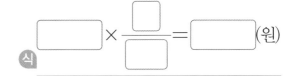

4

비례식과 비례배분

169

비례배분을 이용하여 전체 구하기

이렇게 해결하자

- 전체를 3 : 2로 비례배분하여 [●, 12]가 되었을 때 전체 구하기

전체의 양을 ■로 놓고 식을 세우면

$$■ \times \frac{2}{3+2} = ■ \times \frac{2}{5} = 12$$ 입니다.

$$→ ■ = 12 \div \frac{2}{5} = 30$$

■를 왼쪽의 비로 나누어 오른쪽과 같이 되었을 때 ■를 구하세요.

① 6 : 7 → [●, 28]

$$■ \times \frac{7}{6+7} = ■ \times \frac{7}{13} = 28$$

$$→ ■ = 28 \div \frac{7}{13} = \boxed{}$$

② 9 : 5 → [●, 25]

$$■ \times \frac{5}{9+5} = ■ \times \frac{5}{14} = 25$$

$$→ ■ = 25 \div \frac{5}{14} = \boxed{}$$

③ 8 : 3 → [48, ●]

$$■ \times \frac{8}{8+3} = ■ \times \frac{8}{11} = 48$$

$$→ ■ = 48 \div \frac{8}{11} = \boxed{}$$

④ 4 : 9 → [28, ●]

$$■ \times \frac{4}{4+9} = ■ \times \frac{4}{13} = 28$$

$$→ ■ = 28 \div \frac{4}{13} = \boxed{}$$

⑤ 3 : 4 → [●, 24]

$$■ \times \frac{4}{3+4} = ■ \times \frac{4}{7} = 24$$

$$→ ■ = 24 \div \frac{4}{7} = \boxed{}$$

⑥ 5 : 2 → [30, ●]

$$■ \times \frac{5}{5+2} = ■ \times \frac{5}{7} = 30$$

$$→ ■ = 30 \div \frac{5}{7} = \boxed{}$$

4

비례식과 비례배분

🐻 전체를 왼쪽의 비로 나누어 오른쪽과 같이 되었을 때 전체를 구하세요.

❼ 13 : 9 ➡ [●, 27]

(전체) = ☐

❽ 7 : 10 ➡ [●, 50]

(전체) = ☐

❾ 5 : 6 ➡ [●, 48]

(전체) = ☐

❿ 12 : 13 ➡ [●, 26]

(전체) = ☐

⓫ 14 : 9 ➡ [●, 81]

(전체) = ☐

⓬ 7 : 18 ➡ [●, 72]

(전체) = ☐

⓭ 8 : 5 ➡ [32, ●]

(전체) = ☐

⓮ 9 : 8 ➡ [45, ●]

(전체) = ☐

⓯ 4 : 3 ➡ [32, ●]

(전체) = ☐

⓰ 3 : 14 ➡ [18, ●]

(전체) = ☐

⓱ 11 : 12 ➡ [77, ●]

(전체) = ☐

⓲ 16 : 7 ➡ [96, ●]

(전체) = ☐

비례배분을 이용하여 전체 구하기

를 주어진 비로 비례배분하여 다음과 같이 되었을 때 ☐ 안에 알맞은 수를 써넣으세요.

1 ☐ → 4 : 5 → ●, 45

2 ☐ → 17 : 8 → ●, 24

3 ☐ → 9 : 11 → ●, 66

4 ☐ → 2 : 7 → ●, 56

5 ☐ → 13 : 10 → ●, 20

6 ☐ → 8 : 5 → ●, 30

7 ☐ → 7 : 12 → 42, ●

8 ☐ → 3 : 5 → 21, ●

9 ☐ → 8 : 7 → 56, ●

10 ☐ → 5 : 16 → 15, ●

11 ☐ → 13 : 6 → 65, ●

12 ☐ → 9 : 14 → 54, ●

4

비례식과 비례배분

플러스 계산 연습

생활 속 계산

🐻 농장에서 수확한 농작물을 두 상자에 쓰인 수의 비로 각각 나누어 담았습니다. 상자에 담긴 농작물의 수를 보고 수확한 전체 농작물의 수를 구하세요.

13

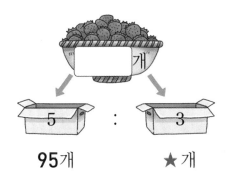

5 : 3

95개   ★개

14

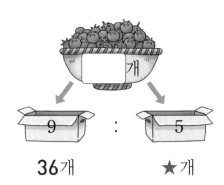

9 : 5

36개   ★개

15

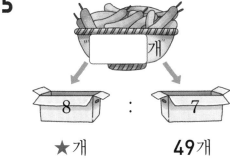

8 : 7

★개   49개

16

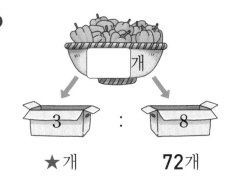

3 : 8

★개   72개

문장 읽고 계산식 세우기

17 구슬을 희수와 정우가 5 : 2의 비로 나누어 가졌더니 정우가 가진 구슬이 14개일 때 전체 구슬은 몇 개?

답 _____ 개

18 구슬을 두리와 하나가 3 : 4의 비로 나누어 가졌더니 하나가 가진 구슬이 24개일 때 전체 구슬은 몇 개?

답 _____ 개

19 땅콩을 승규와 미라가 7 : 9의 비로 나누어 먹었더니 승규가 21개를 먹었을 때 전체 땅콩은 몇 개?

답 _____ 개

20 땅콩을 유미와 경호가 8 : 5의 비로 나누어 먹었더니 유미가 40개를 먹었을 때 전체 땅콩은 몇 개?

답 _____ 개

평가 SPEED 연산력 TEST

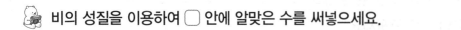

🐻 비의 성질을 이용하여 ☐ 안에 알맞은 수를 써넣으세요.

1 3 : 7 ➡ 12 : ☐

2 81 : 54 ➡ ☐ : 6

3 9 : 4 ➡ ☐ : 24

4 54 : 72 ➡ 9 : ☐

5 5 : 2 ➡ 40 : ☐

6 32 : 56 ➡ ☐ : 14

4 비례식과 비례배분

🐻 비를 가장 간단한 자연수의 비로 나타내 보세요.

7 54 : 90 ➡ _____

8 51 : 39 ➡ _____

9 $\dfrac{2}{9}$: $\dfrac{5}{6}$ ➡ _____

10 $\dfrac{7}{20}$: $\dfrac{2}{15}$ ➡ _____

11 2.4 : 5.6 ➡ _____

12 3.25 : 1.95 ➡ _____

비례식의 성질을 이용하여 ■에 알맞은 수를 구하세요.

⑬ 8 : 7 = ■ : 49

■ = ☐

⑭ 6 : 7 = 48 : ■

■ = ☐

⑮ 16 : 12 = ■ : 3

■ = ☐

⑯ ■ : 45 = 3 : 5

■ = ☐

⑰ 3 : ■ = 15 : 65

■ = ☐

⑱ ■ : 5 = 96 : 40

■ = ☐

안의 수를 주어진 비로 나누어 (,) 안에 써넣으세요.

⑲ **44** 4 : 7 ➡ (,)

⑳ **63** 4 : 3 ➡ (,)

㉑ **96** 11 : 5 ➡ (,)

㉒ **78** 8 : 5 ➡ (,)

㉑ **128** 7 : 9 ➡ (,)

㉔ **117** 3 : 10 ➡ (,)

제한 시간 안에 정확하게
모두 풀었다면 여러분은 진정한 계산왕!

문장제 문제 도전하기

 비를 가장 간단한 자연수의 비로 나타내 보세요.

1 24 : 40

→ (24 ÷ 8) : (40 ÷ 8)

→ ☐ : ☐

이 비가 실생활에서
어떤 상황에 이용될까요?

→ 주황색 구슬 수와 연두색 구슬 수의 비를 가장 간단한 자연수의 비로 나타내 보세요.

☐ : ☐

2 5.4 : 1.2

→ (5.4 × 10) : (1.2 × 10)

→ 54 : 12

→ (54 ÷ 6) : (12 ÷ 6)

→ ☐ : ☐

→ 수박 무게와 파인애플 무게의 비를 가장 간단한 자연수의 비로 나타내 보세요.

5.4 kg | 1.2 kg

☐ : ☐

3 $\dfrac{2}{9} : 2\dfrac{1}{6}$

→ $\left(\dfrac{2}{9} \times 18\right) : \left(\dfrac{13}{6} \times 18\right)$

→ ☐ : ☐

→ 필통 무게와 책가방 무게의 비를 가장 간단한 자연수의 비로 나타내 보세요.

$\dfrac{2}{9}$ kg | $2\dfrac{1}{6}$ kg

☐ : ☐

문장을 읽고 알맞은 비로 나타내어 보자!

4 노란색 구슬(◯) **96**개, 빨간색 구슬(●) **54**개가 있습니다.

노란색 구슬 수와 빨간색 구슬 수의 비를 가장 간단한 자연수의 비로 나타내 보세요.

5 빗자루( )의 무게는 **1.2** kg, 쓰레받이( )의 무게는 **1** kg입니다.

빗자루 무게와 쓰레받이 무게의 비를 가장 간단한 자연수의 비로 나타내 보세요.

6 농구공( )의 무게는 $\frac{5}{8}$ kg, 야구공( )의 무게는 $\frac{1}{6}$ kg입니다.

농구공 무게와 야구공 무게의 비를 가장 간단한 자연수의 비로 나타내 보세요.

창의·융합·코딩·도전하기

전기 자동차의 충전 시간 구하기

창의 1 다음을 읽고 전기 자동차가 **600 km**를 달리려면 몇 분 동안 충전해야 하는지 구하세요.

전기 자동차의 충전 시간과
달릴 수 있는 거리의 비는

☐ : ☐ 이야.

600 km를 달리는 데 필요한 충전 시간을
●분이라 하고 비례식을 세워 보자.

☐ : ☐ = ● : ☐

답 ＿＿＿＿＿＿＿＿＿＿ 분

텃밭에서 수확한 배추 **72**포기를 가족 수에 따라 나누어 주려고 합니다. 배추를 몇 포기씩 나누어 주어야 할지 구하세요.

답 소용이네 가족 _____포기

　　종철이네 가족 _____포기

 수 **480**을 넣으면 A : B로 비례배분하여 나오는 코딩 과정입니다. ☐ 안에 알맞은 수를 써 넣고, 출력되어 나오는 값을 구하세요.

↓	A＝3, B＝5
↓	$C= \boxed{} \times \dfrac{A}{A+B}$
C를 출력합니다.	

답 _____

수학의 힘[감마]

수학리더[최상위]

초등 수학 라인업

수학의 힘[베타]

수학리더
[응용+심화]

최상

심화

난이도

수학도
독해가 힘이다

초등 문해력
독해가 힘이다
[문장제 수학편]

유형

수학리더
[기본+응용]

수학리더[유형]

수학의 힘[알파]

New 해법 수학

학기별 1~3호 　 방학 개념 학습

수학리더[개념]

수학리더[기본]

개념

GO! 매쓰 시리즈

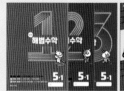

Start/Run A-C/Jump

계산박사 　 수학리더[연산]

기초
연산

최하

평가 대비 특화 교재

단원 평가
마스터 　 HME 수학
학력평가 　 예비 중학
신입생 수학

#차원이_다른_클라쓰
#강의전문교재
#초등교재

수학교재

● **수학리더 시리즈**
- 수학리더 [연산]   예비초~6학년/A·B단계
- 수학리더 [개념]   1~6학년/학기별
- 수학리더 [기본]   1~6학년/학기별
- 수학리더 [유형]   1~6학년/학기별
- 수학리더 [기본+응용]   1~6학년/학기별
- 수학리더 [응용·심화]   1~6학년/학기별
- (신간) 수학리더 [최상위]   3~6학년/학기별

● **독해가 힘이다 시리즈** *문제해결력
- 수학도 독해가 힘이다   1~6학년/학기별
- (신간) 초등 문해력 독해가 힘이다 문장제 수학편   1~6학년/단계별

● **수학의 힘 시리즈**
- 수학의 힘 알파[실력]   3~6학년/학기별
- 수학의 힘 베타[유형]   1~6학년/학기별

● **Go! 매쓰 시리즈**
- Go! 매쓰(Start) *교과서 개념   1~6학년/학기별
- Go! 매쓰(Run A/B/C) *교과서+사고력   1~6학년/학기별
- Go! 매쓰(Jump) *유형 사고력   1~6학년/학기별

● **계산박사**   1~12단계

월간교재

● **NEW 해법수학**   1~6학년
● **해법수학 단원평가 마스터**   1~6학년 / 학기별
● **월간 무등생평가**   1~6학년

전과목교재

● **리더 시리즈**
- 국어   1~6학년/학기별
- 사회   3~6학년/학기별
- 과학   3~6학년/학기별

쉽고 빠르게 끝내는 연산서

해법 ★ 전략

수학리더

연산

6B

- 혼자서도 이해할 수 있는 친절한 문제 풀이

- OX퀴즈로 계산 원리 다시 알아보기

천재교육

해법전략 포인트 3가지

▶ 혼자서도 이해할 수 있는 친절한 문제 풀이

▶ 참고, 주의 등 자세한 풀이 제시

▶ OX퀴즈로 계산 원리 다시 알아보기

정답과 해설

1 분수의 나눗셈

✳ 개념 ⭕❌ 퀴즈

옳으면 ⭕에, 틀리면 ❌에 ⭕표 하세요.

$$\frac{5}{6} \div \frac{4}{7} = \frac{6}{5} \times \frac{4}{7} = \frac{24}{35}$$

⭕   ❌

정답은 9쪽에서 확인하세요.

1 일차   기초 계산 연습   6~7쪽

- ❶ 3
- ❷ 2
- ❸ 5
- ❹ 4
- ❺ 3
- ❻ 7
- ❼ 2, 1, 2
- ❽ 3, 1, 3
- ❾ 4, 1, 4
- ❿ 5, 1, 5
- ⓫ 7, 1, 7
- ⓬ 6, 1, 6
- ⓭ 4, 1, 4
- ⓮ 19, 1, 19
- ⓯ 8
- ⓰ 2
- ⓱ 5
- ⓲ 9
- ⓳ 15
- ⓴ 11
- ㉑ 13
- ㉒ 10

1 일차   플러스 계산 연습   8~9쪽

- **1** 2
- **2** 3
- **3** 7
- **4** 4
- **5** 9
- **6** 5
- **7** 10
- **8** 8
- **9** 17
- **10** 2
- **11** 6
- **12** 13
- **13** 2
- **14** 6
- **15** 8
- **16** 13
- **17** 3, 3
- **18** 5, 5
- **19** 9, 16
- **20** 4, 22
- **21** $\frac{1}{5}$, 4
- **22** $\frac{3}{10}$, $\frac{1}{10}$, 3
- **23** $\frac{1}{12}$, 7
- **24** $\frac{11}{20}$, $\frac{1}{20}$, 11

17 $\frac{3}{4} \div \frac{1}{4} = 3 \div 1 = 3$, $\frac{3}{14} \div \frac{1}{14} = 3 \div 1 = 3$

21 (나누어 따르는 컵 수)

= (전체 주스 양) ÷ (한 컵에 따르는 주스 양)

$= \frac{4}{5} \div \frac{1}{5} = 4 \div 1 = 4$(컵)

23 (나누어 담는 통 수)

= (전체 콩 무게) ÷ (한 통에 담는 콩 무게)

$= \frac{7}{12} \div \frac{1}{12} = 7 \div 1 = 7$(통)

2 일차   기초 계산 연습   10~11쪽

- ❶ 2
- ❷ 2
- ❸ 4
- ❹ 3
- ❺ 3
- ❻ 5
- ❼ 4, 2, 2
- ❽ 6, 2, 3
- ❾ 8, 4, 2
- ❿ 9, 3, 3
- ⓫ 15, 5, 3
- ⓬ 18, 6, 3
- ⓭ 24, 8, 3
- ⓮ 45, 9, 5
- ⓯ 4
- ⓰ 3
- ⓱ 4
- ⓲ 5
- ⓳ 2
- ⓴ 2
- ㉑ 4
- ㉒ 3

❶ $\frac{4}{5}$는 $\frac{1}{5}$이 4개, $\frac{2}{5}$는 $\frac{1}{5}$이 2개이므로

4÷2=2입니다.

❷ $\frac{6}{7}$은 $\frac{1}{7}$이 6개, $\frac{3}{7}$은 $\frac{1}{7}$이 3개이므로

6÷3=2입니다.

❸ $\frac{8}{9}$은 $\frac{1}{9}$이 8개, $\frac{2}{9}$는 $\frac{1}{9}$이 2개이므로

8÷2=4입니다.

❹ $\frac{9}{10}$는 $\frac{1}{10}$이 9개, $\frac{3}{10}$은 $\frac{1}{10}$이 3개이므로

9÷3=3입니다.

❺ $\frac{9}{11}$는 $\frac{1}{11}$이 9개, $\frac{3}{11}$은 $\frac{1}{11}$이 3개이므로

9÷3=3입니다.

❻ $\frac{10}{11}$은 $\frac{1}{11}$이 10개, $\frac{2}{11}$는 $\frac{1}{11}$이 2개이므로

10÷2=5입니다.

② 일차 — 플러스 계산 연습 12~13쪽

1 2	**2** 3	**3** 2
4 7	**5** 2	**6** 3
7 5	**8** 4	**9** 5
10 4	**11** 4	**12** 6
13 2	**14** 3	**15** 3
16 6	**17** 2	**18** 3, 4

19 $\dfrac{2}{19}$, 8   **20** $\dfrac{14}{27}$, 2

21 $\dfrac{2}{15}$, 4   **22** $\dfrac{9}{20}$, $\dfrac{3}{20}$, 3

23 $\dfrac{3}{16}$, 5   **24** $\dfrac{49}{50}$, $\dfrac{7}{50}$, 7

17 $\dfrac{8}{15} \div \dfrac{4}{15} = 8 \div 4 = 2$(개)

21 (세로)=(직사각형의 넓이)÷(가로)
$$= \dfrac{8}{15} \div \dfrac{2}{15} = 8 \div 2 = 4\,(\text{m})$$

23 $\dfrac{15}{16} \div \dfrac{3}{16} = 15 \div 3 = 5$(통)

24 $\dfrac{49}{50} \div \dfrac{7}{50} = 49 \div 7 = 7$(통)

③ 일차 — 기초 계산 연습 14~15쪽

❶ 5, 5	❷ 1, 1
❸ 7, 7	❹ 3, 3
❺ $\dfrac{1}{5}$	❻ 3, $\dfrac{3}{5}$
❼ 5, 9, $\dfrac{5}{9}$	❽ 9, 13, $\dfrac{9}{13}$
❾ 1, 8, $\dfrac{1}{8}$	❿ 7, 25, $\dfrac{7}{25}$
⓫ $\dfrac{2}{3}$	⓬ $\dfrac{3}{7}$ ⓭ $\dfrac{5}{8}$
⓮ $\dfrac{1}{2}$	⓯ $\dfrac{1}{9}$ ⓰ $\dfrac{1}{4}$
⓱ $\dfrac{1}{2}$	⓲ $\dfrac{5}{7}$ ⓳ $\dfrac{2}{5}$
⓴ $\dfrac{8}{9}$	㉑ $\dfrac{5}{8}$ ㉒ $\dfrac{2}{3}$
㉓ $\dfrac{1}{7}$	㉔ $\dfrac{11}{15}$

⑪ $\dfrac{2}{5} \div \dfrac{3}{5} = 2 \div 3 = \dfrac{2}{3}$

⑭ $\dfrac{3}{7} \div \dfrac{6}{7} = 3 \div 6 = \dfrac{3}{6} = \dfrac{1}{2}$

③ 일차 — 플러스 계산 연습 16~17쪽

1 $\dfrac{2}{5}$	**2** $\dfrac{3}{4}$	**3** $\dfrac{5}{7}$
4 $\dfrac{4}{9}$	**5** $\dfrac{3}{5}$	**6** $\dfrac{1}{3}$
7 $\dfrac{3}{4}$	**8** $\dfrac{7}{8}$	**9** $\dfrac{4}{5}$
10 $\dfrac{1}{5}$	**11** $\dfrac{5}{11}$	**12** $\dfrac{1}{4}$
13 $\dfrac{7}{9}$	**14** $\dfrac{4}{5}$	**15** $\dfrac{3}{13}$

16 (위에서부터) $\dfrac{9}{17}$, $\dfrac{1}{3}$, $\dfrac{13}{17}$

17 (위에서부터) $\dfrac{1}{3}$, $\dfrac{11}{27}$, $\dfrac{5}{11}$, $\dfrac{5}{9}$

18 $\dfrac{7}{9}$ **19** $\dfrac{6}{7}$

20 $\dfrac{8}{9}$, $\dfrac{5}{8}$ **21** $\dfrac{8}{15}$, $\dfrac{14}{15}$, $\dfrac{4}{7}$

17 $\dfrac{5}{32} \div \dfrac{15}{32} = 5 \div 15 = \dfrac{5}{15} = \dfrac{1}{3}$,

$\dfrac{11}{32} \div \dfrac{27}{32} = 11 \div 27 = \dfrac{11}{27}$,

$\dfrac{5}{32} \div \dfrac{11}{32} = 5 \div 11 = \dfrac{5}{11}$,

$\dfrac{15}{32} \div \dfrac{27}{32} = 15 \div 27 = \dfrac{15}{27} = \dfrac{5}{9}$

18 (참외 무게)÷(사과 무게)
$$= \dfrac{7}{10} \div \dfrac{9}{10} = 7 \div 9 = \dfrac{7}{9}\,(\text{배})$$

19 (복숭아 무게)÷(오렌지 무게)
$$= \dfrac{18}{25} \div \dfrac{21}{25} = 18 \div 21 = \dfrac{18}{21} = \dfrac{6}{7}\,(\text{배})$$

20 (호두 무게)÷(땅콩 무게)
$$= \dfrac{5}{9} \div \dfrac{8}{9} = 5 \div 8 = \dfrac{5}{8}\,(\text{배})$$

21 (잣 무게)÷(대추 무게)
$$= \dfrac{8}{15} \div \dfrac{14}{15} = 8 \div 14 = \dfrac{8}{14} = \dfrac{4}{7}\,(\text{배})$$

4 일차 · 기초 계산 연습 · 18~19쪽

❶ 4, 4, 1, 1 ❷ 7, 7, 2, 1

❸ 5, $\frac{9}{5}$, 1, 4 ❹ 11, $\frac{11}{3}$, 3, 2

❺ 8, 8, 4, 1, 4 ❻ 21, 21, 7, 3, 1

❼ 28, 20, 28, 7, 1, 2

❽ $1\frac{2}{5}$ ❾ $1\frac{1}{2}$ ❿ $1\frac{1}{4}$

⓫ $2\frac{2}{3}$ ⓬ $2\frac{1}{5}$ ⓭ $1\frac{2}{3}$

⓮ $1\frac{2}{7}$ ⓯ $1\frac{2}{3}$ ⓰ $3\frac{1}{5}$

⓱ $1\frac{7}{8}$ ⓲ $4\frac{2}{3}$ ⓳ $1\frac{1}{2}$

⓴ $2\frac{1}{2}$ ㉑ $2\frac{7}{9}$

4 일차 · 플러스 계산 연습 · 20~21쪽

1 $1\frac{1}{3}$ **2** $2\frac{1}{2}$ **3** $3\frac{2}{3}$

4 $1\frac{2}{5}$ **5** $3\frac{1}{2}$ **6** $1\frac{2}{7}$

7 $1\frac{5}{8}$ **8** $1\frac{2}{3}$ **9** $2\frac{1}{6}$

10 $1\frac{3}{5}$ **11** $1\frac{1}{4}$ **12** $1\frac{1}{3}$

13 $2\frac{2}{7}$ **14** $5\frac{2}{3}$ **15** $2\frac{1}{2}$

16 (위에서부터) $1\frac{2}{3}$, $2\frac{2}{5}$, $2\frac{2}{3}$

17 (위에서부터) $1\frac{3}{4}$, $3\frac{1}{9}$, $1\frac{1}{4}$, $2\frac{2}{9}$

18 $1\frac{2}{7}$ **19** $1\frac{3}{4}$

20 $\frac{3}{8}$, $2\frac{1}{3}$ **21** $\frac{11}{20}$, $1\frac{4}{7}$

18 (사과 주스 양)÷(오렌지 주스 양)

$=\frac{9}{10}\div\frac{7}{10}=9\div7=\frac{9}{7}=1\frac{2}{7}$(배)

19 (포도 주스 양)÷(딸기 주스 양)

$=\frac{14}{15}\div\frac{8}{15}=14\div8=\frac{14}{8}=\frac{7}{4}=1\frac{3}{4}$(배)

20 $\frac{7}{8}\div\frac{3}{8}=7\div3=\frac{7}{3}=2\frac{1}{3}$ (kg)

5 일차 · 기초 계산 연습 · 22~23쪽

❶ 6, 6, 6, 2 ❷ 12, 12, 3

❸ 5, 6, 5, 6, $\frac{5}{6}$

❹ 4, 4, 21, 20, 21, 1, 1

❺ 5, 5, 18, 15, 18, 6, 1, 1

❻ $1\frac{1}{5}$ ❼ $\frac{4}{5}$ ❽ $\frac{7}{24}$

❾ $1\frac{7}{8}$ ❿ $1\frac{1}{27}$ ⓫ $2\frac{4}{5}$

⓬ $1\frac{1}{4}$ ⓭ $\frac{25}{27}$ ⓮ $\frac{21}{22}$

⓯ $3\frac{2}{3}$ ⓰ $2\frac{1}{4}$ ⓱ $1\frac{5}{16}$

⓲ $\frac{3}{11}$ ⓳ $1\frac{2}{15}$

5 일차 · 플러스 계산 연습 · 24~25쪽

1 $1\frac{3}{7}$ **2** $\frac{16}{21}$ **3** $\frac{6}{7}$

4 $\frac{48}{55}$ **5** $2\frac{5}{8}$ **6** $\frac{28}{33}$

7 $\frac{3}{10}$ **8** $\frac{14}{15}$ **9** $\frac{9}{10}$

10 $2\frac{8}{9}$ **11** $\frac{3}{4}$ **12** $2\frac{2}{65}$

13 **14**

15 $1\frac{13}{14}$ **16** $\frac{5}{14}$, $2\frac{9}{20}$

17 $\frac{3}{4}$, $\frac{13}{15}$ **18** $\frac{7}{9}$, $\frac{1}{2}$, $1\frac{5}{9}$

15 $\frac{3}{7}\div\frac{2}{9}=\frac{27}{63}\div\frac{14}{63}=27\div14=\frac{27}{14}=1\frac{13}{14}$(분)

16 $\frac{7}{8}\div\frac{5}{14}=\frac{49}{56}\div\frac{20}{56}=49\div20=\frac{49}{20}=2\frac{9}{20}$(분)

17 $\frac{13}{20}\div\frac{3}{4}=\frac{13}{20}\div\frac{15}{20}=13\div15=\frac{13}{15}$ (m)

18 $\frac{7}{9}\div\frac{1}{2}=\frac{14}{18}\div\frac{9}{18}=14\div9=\frac{14}{9}=1\frac{5}{9}$ (m)

6 일차   기초 계산 연습   26~27쪽

① 5, 5

② $\frac{6}{5}$, 18

③ $\frac{7}{4}$, $\frac{21}{32}$

④ 2, 6

⑤ 7, 35, 2, 11

⑥ $\frac{9}{2}$, $\frac{27}{8}$, $3\frac{3}{8}$

⑦ 2, 7, 1, 14, 1, 5

⑧ 3, 3, $2\frac{2}{3}$

⑨ $\frac{2}{3}$

⑩ $\frac{21}{40}$

⑪ $\frac{7}{18}$

⑫ $1\frac{7}{8}$

⑬ $\frac{7}{9}$

⑭ $\frac{3}{5}$

⑮ $1\frac{4}{5}$

⑯ $\frac{10}{11}$

⑰ $1\frac{3}{8}$

⑱ $2\frac{8}{9}$

⑲ $\frac{21}{26}$

⑳ $3\frac{17}{27}$

㉑ $2\frac{1}{6}$

㉒ $1\frac{13}{35}$

⑬ $\frac{7}{12} \div \frac{3}{4} = \frac{7}{\underset{3}{12}} \times \frac{\overset{1}{4}}{3} = \frac{7}{9}$

6 일차   플러스 계산 연습   28~29쪽

1 $2\frac{2}{5}$

2 $\frac{8}{21}$

3 $1\frac{1}{20}$

4 $\frac{8}{9}$

5 $1\frac{1}{11}$

6 $3\frac{3}{8}$

7 $\frac{5}{12}$

8 $\frac{6}{7}$

9 $\frac{7}{22}$

10 $\frac{32}{45}$

11 $3\frac{3}{14}$

12 $\frac{2}{3}$

13 $\frac{5}{36}$, $\frac{2}{21}$

14 $1\frac{1}{5}$, $1\frac{11}{15}$

15 $\frac{3}{4}$, $1\frac{7}{20}$

16 $1\frac{9}{26}$, $\frac{34}{39}$

17 $\frac{2}{9}$, $1\frac{4}{5}$

18 $\frac{1}{8}$, $\frac{5}{12}$, $\frac{3}{10}$

19 $\frac{3}{4}$, $\frac{5}{6}$

20 $\frac{17}{20}$, $\frac{2}{3}$, $1\frac{11}{40}$

13 $\frac{1}{12} \div \frac{3}{5} = \frac{1}{12} \times \frac{5}{3} = \frac{5}{36}$,

$\frac{1}{12} \div \frac{7}{8} = \frac{1}{\underset{3}{12}} \times \frac{\overset{2}{8}}{7} = \frac{2}{21}$

17 (망고 무게)÷(귤 무게)

$= \frac{2}{5} \div \frac{2}{9} = \frac{\overset{1}{2}}{5} \times \frac{9}{\underset{1}{2}} = \frac{9}{5} = 1\frac{4}{5}$(배)

18 (키위 무게)÷(감 무게)

$= \frac{1}{8} \div \frac{5}{12} = \frac{1}{\underset{2}{8}} \times \frac{\overset{3}{12}}{5} = \frac{3}{10}$(배)

19 $\frac{5}{8} \div \frac{3}{4} = \frac{5}{\underset{2}{8}} \times \frac{\overset{1}{4}}{3} = \frac{5}{6}$ (kg)

20 $\frac{17}{20} \div \frac{2}{3} = \frac{17}{20} \times \frac{3}{2} = \frac{51}{40} = 1\frac{11}{40}$ (kg)

평가   SPEED 연산력 TEST   30~31쪽

① 11

② 4

③ 13

④ 7

⑤ 3

⑥ 4

⑦ 4

⑧ 5

⑨ 2

⑩ $\frac{4}{7}$

⑪ $\frac{3}{11}$

⑫ $\frac{1}{3}$

⑬ $\frac{5}{7}$

⑭ $3\frac{1}{2}$

⑮ $2\frac{3}{4}$

⑯ $2\frac{3}{5}$

⑰ $3\frac{2}{3}$

⑱ $1\frac{4}{5}$

⑲ $\frac{5}{12}$

⑳ $\frac{8}{15}$

㉑ $\frac{15}{16}$

㉒ $1\frac{1}{10}$

㉓ $3\frac{3}{7}$

㉔ $2\frac{1}{12}$

㉕ $\frac{1}{3} \div \frac{3}{4} = \frac{4}{12} \div \frac{9}{12} = 4 \div 9 = \frac{4}{9}$

㉖ $\frac{3}{7} \div \frac{1}{2} = \frac{6}{14} \div \frac{7}{14} = 6 \div 7 = \frac{6}{7}$

㉗ $\frac{3}{5} \div \frac{5}{8} = \frac{24}{40} \div \frac{25}{40} = 24 \div 25 = \frac{24}{25}$

㉘ $\frac{7}{8} \div \frac{5}{9} = \frac{7}{8} \times \frac{9}{5} = \frac{63}{40} = 1\frac{23}{40}$

㉙ $\frac{9}{10} \div \frac{2}{3} = \frac{9}{10} \times \frac{3}{2} = \frac{27}{20} = 1\frac{7}{20}$

㉚ $\frac{13}{16} \div \frac{2}{5} = \frac{13}{16} \times \frac{5}{2} = \frac{65}{32} = 2\frac{1}{32}$

㉕ 통분하여 계산한 후 기약분수로 나타냅니다.

㉘ (분수)÷(분수)를 (분수)×(분수)로 나타내 계산합니다.

❶ 5, 10   ❷ 4, 8

❸ 3, 7, 21   ❹ 2, 3, 15

❺ 5, 10, 3, 1   ❻ $\frac{6}{5}$, 24, 4, 4

❼ 5, 3, 35, 11, 2   ❽ 3, 9, 2, $\frac{27}{2}$, $13\frac{1}{2}$

❾ 14   ❿ 12   ⓫ 15

⓬ 40   ⓭ 44   ⓮ 30

⓯ 26   ⓰ 44

⓱ $7\frac{1}{2}$ ⓲ $9\frac{1}{3}$ ⓳ $8\frac{8}{9}$

⓴ $13\frac{1}{2}$ ㉑ $18\frac{1}{3}$ ㉒ $18\frac{2}{3}$

❾ $4 \div \frac{2}{7} = (4 \div 2) \times 7 = 14$

⓱ $5 \div \frac{2}{3} = 5 \times \frac{3}{2} = \frac{15}{2} = 7\frac{1}{2}$

1 $5 \div \frac{5}{7} = \overset{1}{5} \times \frac{7}{\underset{1}{5}} = 7$

2 $18 \div \frac{3}{5} = \overset{6}{18} \times \frac{5}{\underset{1}{3}} = 30$

3 $10 \div \frac{2}{9} = 10 \times \frac{9}{\underset{1}{2}} \overset{5}{} = 45$

4 $14 \div \frac{7}{8} = \overset{2}{14} \times \frac{8}{\underset{1}{7}} = 16$

5 $3 \div \frac{6}{7} = \overset{1}{3} \times \frac{7}{\underset{2}{6}} = \frac{7}{2} = 3\frac{1}{2}$

6 $14 \div \frac{4}{5} = \overset{7}{14} \times \frac{5}{\underset{2}{4}} = \frac{35}{2} = 17\frac{1}{2}$

7 $6 \div \frac{9}{14} = \overset{2}{6} \times \frac{14}{\underset{3}{9}} = \frac{28}{3} = 9\frac{1}{3}$

8 $12 \div \frac{15}{16} = \overset{4}{12} \times \frac{16}{\underset{5}{15}} = \frac{64}{5} = 12\frac{4}{5}$

9 $4\frac{1}{2}$ **10** $8\frac{3}{4}$

11 $12\frac{3}{8}$ **12** $17\frac{1}{3}$

---

13 15   **14** $\frac{8}{25}$, 50

15 12, 16   **16** $\frac{7}{10}$, 30

17 $8\frac{2}{5}$ **18** $\frac{3}{5}$, $8\frac{1}{3}$

19 $\frac{4}{7}$, 7   **20** 18, $\frac{6}{13}$, 39

9 $3 \div \frac{2}{3} = 3 \times \frac{3}{2} = \frac{9}{2} = 4\frac{1}{2}$

12 $13 \div \frac{3}{4} = 13 \times \frac{4}{3} = \frac{52}{3} = 17\frac{1}{3}$

13 $9 \div \frac{3}{5} = (9 \div 3) \times 5 = 15$(명)

14 $16 \div \frac{8}{25} = (16 \div 8) \times 25 = 50$(명)

17 $7 \div \frac{5}{6} = 7 \times \frac{6}{5} = \frac{42}{5} = 8\frac{2}{5}$ (m)

19 $4 \div \frac{4}{7} = (4 \div 4) \times 7 = 7$(일)

20 $18 \div \frac{6}{13} = (18 \div 6) \times 13 = 39$(일)

❶ 10, $\frac{9}{10}$ ❷ $\frac{2}{5}$, $\frac{16}{5}$, 3, 1

❸ 6, 6, $\frac{35}{6}$, $5\frac{5}{6}$ ❹ 11, 11, $\frac{20}{11}$, $1\frac{9}{11}$

❺ 3, 11, 4, $\frac{33}{4}$, $8\frac{1}{4}$ ❻ 25, $\frac{7}{25}$, 14, 2, 4

❼ $\frac{6}{7}$ ❽ $4\frac{2}{3}$ ❾ $2\frac{1}{2}$

❿ $1\frac{5}{7}$ ⓫ $2\frac{6}{13}$ ⓬ $\frac{7}{9}$

⓭ $4\frac{4}{5}$ ⓮ $2\frac{1}{2}$ ⓯ $4\frac{1}{2}$

⓰ $4\frac{4}{7}$ ⓱ $13\frac{10}{11}$ ⓲ $5\frac{1}{25}$

⓳ $11\frac{2}{3}$ ⓴ $3\frac{5}{9}$

⓳ $25 \div 2\frac{1}{7} = 25 \div \frac{15}{7} = \overset{5}{25} \times \frac{7}{\underset{3}{15}} = \frac{35}{3} = 11\frac{2}{3}$

8 일차 플러스 계산 연습 38~39쪽

1 $3 \div 3\frac{3}{4} = 3 \div \frac{15}{4} = \overset{1}{3} \times \frac{4}{\underset{5}{15}} = \frac{4}{5}$

2 $18 \div 2\frac{2}{5} = 18 \div \frac{12}{5} = \overset{3}{18} \times \frac{5}{\underset{2}{12}} = \frac{15}{2} = 7\frac{1}{2}$

3 $8 \div 1\frac{7}{9} = 8 \div \frac{16}{9} = \overset{1}{8} \times \frac{9}{\underset{2}{16}} = \frac{9}{2} = 4\frac{1}{2}$

4 $20 \div 2\frac{4}{7} = 20 \div \frac{18}{7} = \overset{10}{20} \times \frac{7}{\underset{9}{18}} = \frac{70}{9} = 7\frac{7}{9}$

5 $26 \div 4\frac{7}{8} = 26 \div \frac{39}{8} = \overset{2}{26} \times \frac{8}{\underset{3}{39}} = \frac{16}{3} = 5\frac{1}{3}$

6 $35 \div 1\frac{5}{9} = 35 \div \frac{14}{9} = \overset{5}{35} \times \frac{9}{\underset{2}{14}} = \frac{45}{2} = 22\frac{1}{2}$

7 $3\frac{3}{7}$ **8** $3\frac{3}{4}$

9 $4\frac{5}{11}$ **10** 8

11   **12**

13 $1\frac{3}{7}$ **14** $2\frac{2}{5}, 1\frac{2}{3}$

15 $1\frac{2}{3}, 9$ **16** $36, 2\frac{4}{7}, 14$

11 $3 \div 1\frac{1}{5} = 3 \div \frac{6}{5} = \overset{1}{3} \times \frac{5}{\underset{2}{6}} = \frac{5}{2} = 2\frac{1}{2}$,

$7 \div 2\frac{1}{4} = 7 \div \frac{9}{4} = 7 \times \frac{4}{9} = \frac{28}{9} = 3\frac{1}{9}$

12 $8 \div 1\frac{1}{3} = 8 \div \frac{4}{3} = \overset{2}{8} \times \frac{3}{\underset{1}{4}} = 6$,

$2 \div 3\frac{1}{2} = 2 \div \frac{7}{2} = 2 \times \frac{2}{7} = \frac{4}{7}$

13 $5 \div 3\frac{1}{2} = 5 \div \frac{7}{2} = 5 \times \frac{2}{7} = \frac{10}{7} = 1\frac{3}{7}$ (km)

14 $4 \div 2\frac{2}{5} = 4 \div \frac{12}{5} = \overset{1}{4} \times \frac{5}{\underset{3}{12}} = \frac{5}{3} = 1\frac{2}{3}$ (km)

15 $15 \div 1\frac{2}{3} = 15 \div \frac{5}{3} = \overset{3}{15} \times \frac{3}{\underset{1}{5}} = 9$(개)

16 $36 \div 2\frac{4}{7} = 36 \div \frac{18}{7} = \overset{2}{36} \times \frac{7}{\underset{1}{18}} = 14$(개)

9 일차 기초 계산 연습 40~41쪽

1 7, 45, 1, 17

2 14, 14, 3, $\frac{28}{3}$, $9\frac{1}{3}$

3 4, 5, 1, 20, $2\frac{6}{7}$

4 9, 9, $\frac{11}{4}$, $\frac{99}{32}$, $3\frac{3}{32}$

5 7, 7, 1, 3, 5, $\frac{21}{5}$, $4\frac{1}{5}$

6 $7\frac{1}{2}$ **7** $13\frac{3}{4}$ **8** $2\frac{1}{24}$

9 $3\frac{21}{25}$ **10** $5\frac{1}{9}$ **11** $2\frac{5}{14}$

12 $3\frac{9}{10}$ **13** $2\frac{3}{16}$ **14** $7\frac{1}{2}$

15 $4\frac{3}{8}$ **16** $3\frac{35}{36}$ **17** $3\frac{3}{5}$

18 $11\frac{2}{3}$ **19** $5\frac{5}{8}$

9 일차 플러스 계산 연습 42~43쪽

1 $2\frac{5}{8}$ **2** $2\frac{1}{4}$ **3** $7\frac{5}{9}$

4 $6\frac{2}{7}$ **5** $6\frac{9}{10}$ **6** $2\frac{5}{6}$

7 $6\frac{2}{3}$ **8** $1\frac{11}{15}$ **9** $3\frac{3}{14}$

10 $3\frac{3}{4}$ **11** $16\frac{5}{8}$ **12** $2\frac{8}{13}$

13   **14**

15 $1\frac{11}{14}$ **16** $\frac{8}{9}, 1\frac{4}{5}$

17 $\frac{2}{3}, 12\frac{9}{10}$ **18** $8\frac{1}{4}, \frac{18}{25}, 11\frac{11}{24}$

15 $1\frac{1}{4} \div \frac{7}{10} = \frac{5}{4} \div \frac{7}{10} = \frac{5}{4} \times \frac{\overset{5}{10}}{7} = \frac{25}{14} = 1\frac{11}{14}$(배)

16 $1\frac{3}{5} \div \frac{8}{9} = \frac{8}{5} \div \frac{8}{9} = \frac{\overset{1}{8}}{5} \times \frac{9}{\underset{1}{8}} = \frac{9}{5} = 1\frac{4}{5}$(배)

정답과 해설

18 $8\frac{1}{4} \div \frac{18}{25} = \frac{33}{4} \div \frac{18}{25} = \frac{\overset{11}{33}}{4} \times \frac{25}{\underset{6}{18}}$

$\qquad\qquad = \frac{275}{24} = 11\frac{11}{24}$ (km)

19 $\frac{7}{8} \div 1\frac{1}{2} = \frac{7}{8} \div \frac{3}{2} = \frac{7}{\underset{4}{8}} \times \frac{\overset{1}{2}}{3} = \frac{7}{12}$ (m)

20 $\frac{9}{10} \div 3\frac{3}{4} = \frac{9}{10} \div \frac{15}{4} = \frac{\overset{3}{9}}{\underset{5}{10}} \times \frac{\overset{2}{4}}{\underset{5}{15}} = \frac{6}{25}$ (m)

---

⑩ 일차 기초 계산 연습 44~45쪽

❶ $5, \dfrac{2}{5}$ ❷ $1, 5, 3, \dfrac{5}{12}$

❸ $9, \dfrac{4}{9}, \dfrac{20}{81}$ ❹ $11, \dfrac{3}{11}, \dfrac{18}{77}$

❺ $17, 2, 1, 17, \dfrac{11}{34}$ ❻ $16, \dfrac{7}{16}, \dfrac{49}{240}$

❼ $\dfrac{9}{32}$ ❽ $\dfrac{28}{45}$ ❾ $\dfrac{5}{18}$

❿ $\dfrac{8}{33}$ ⓫ $\dfrac{8}{35}$ ⓬ $\dfrac{7}{20}$

⓭ $\dfrac{8}{85}$ ⓮ $\dfrac{27}{116}$ ⓯ $\dfrac{35}{108}$

⓰ $\dfrac{1}{10}$ ⓱ $\dfrac{11}{30}$ ⓲ $\dfrac{18}{121}$

⓳ $\dfrac{4}{27}$ ⓴ $\dfrac{14}{39}$

---

⑩ 일차 플러스 계산 연습 46~47쪽

1 $\dfrac{15}{49}$ **2** $\dfrac{3}{5}$ **3** $\dfrac{8}{45}$

4 $\dfrac{15}{52}$ **5** $\dfrac{3}{8}$ **6** $\dfrac{1}{10}$

7 $\dfrac{18}{35}$ **8** $\dfrac{9}{20}$ **9** $\dfrac{8}{63}$

10 $\dfrac{4}{21}$ **11** $\dfrac{27}{110}$ **12** $\dfrac{1}{6}$

13 $\dfrac{1}{6}, \dfrac{3}{44}$ **14** $\dfrac{8}{15}, \dfrac{20}{91}$

15 $\dfrac{8}{81}, \dfrac{7}{45}$ **16** $\dfrac{9}{26}, \dfrac{24}{169}$

17 $2\dfrac{1}{7}, \dfrac{7}{25}$ **18** $\dfrac{5}{16}, 1\dfrac{3}{8}, \dfrac{5}{22}$

19 $1\dfrac{1}{2}, \dfrac{7}{12}$ **20** $\dfrac{9}{10}, 3\dfrac{3}{4}, \dfrac{6}{25}$

18 $\frac{5}{16} \div 1\frac{3}{8} = \frac{5}{16} \div \frac{11}{8} = \frac{5}{\underset{2}{16}} \times \frac{\overset{1}{8}}{11} = \frac{5}{22}$ (배)

---

⑪ 일차 기초 계산 연습 48~49쪽

❶ $7, 13, 7, 13, \dfrac{35}{78}$

❷ $12, 5, 12, 5, \dfrac{48}{35}, 1\dfrac{13}{35}$

❸ $23, 17, 23, 1, 2, 17, 46, 2, 12$

❹ $4, 7, 4, 7, \dfrac{7}{4}, 1\dfrac{3}{4}$

❺ $9, 8, 4, 9, 8, 1, 32, 3, 5$

❻ $1\dfrac{2}{25}$ ❼ $1\dfrac{5}{6}$ ❽ $2\dfrac{3}{16}$

❾ $\dfrac{28}{39}$ ❿ $\dfrac{25}{81}$ ⓫ $1\dfrac{22}{23}$

⓬ $1\dfrac{13}{21}$ ⓭ $4\dfrac{4}{5}$ ⓮ $1\dfrac{13}{22}$

⓯ $\dfrac{2}{3}$ ⓰ $\dfrac{21}{55}$ ⓱ $2\dfrac{2}{9}$

⓲ $\dfrac{33}{58}$ ⓳ $2\dfrac{11}{12}$

---

⑪ 일차 플러스 계산 연습 50~51쪽

1 $1\dfrac{5}{7}$ **2** $\dfrac{35}{76}$ **3** $2\dfrac{1}{40}$

4 $\dfrac{58}{59}$ **5** $\dfrac{8}{25}$ **6** $2\dfrac{2}{9}$

7 $1\dfrac{23}{27}$ **8** $1\dfrac{3}{4}$ **9** $1\dfrac{7}{8}$

10 $\dfrac{9}{22}$ **11** $4\dfrac{2}{7}$ **12** $6\dfrac{1}{2}$

13 $3\dfrac{1}{3}$ **14** $2\dfrac{5}{6}, 1\dfrac{5}{34}$

15 $7\dfrac{1}{8}, 1\dfrac{13}{32}$ **16** $9\dfrac{5}{8}, 3\dfrac{2}{3}, 2\dfrac{5}{8}$

17 $1\dfrac{11}{25}$ **18** $1\dfrac{7}{10}, 1\dfrac{2}{3}$

19 $2\dfrac{1}{7}, \dfrac{21}{40}$ **20** $6\dfrac{3}{4}, 1\dfrac{7}{8}$

정답과 해설

7

15 $7\dfrac{1}{8} \div 5\dfrac{1}{15} = \dfrac{57}{8} \div \dfrac{76}{15} = \dfrac{\overset{3}{57}}{8} \times \dfrac{15}{\underset{4}{76}}$

$\qquad = \dfrac{45}{32} = 1\dfrac{13}{32}$ (kg)

19 $1\dfrac{1}{8} \div 2\dfrac{1}{7} = \dfrac{9}{8} \div \dfrac{15}{7} = \dfrac{\overset{3}{9}}{8} \times \dfrac{7}{\underset{5}{15}} = \dfrac{21}{40}$ (kg)

---

12 일차 기초 계산 연습 · 52~53쪽

❶ $\dfrac{15}{56}$ ❷ $1, 2, \dfrac{5}{32}$

❸ $\dfrac{5}{3}, 20$ ❹ $\dfrac{7}{5}, \dfrac{56}{75}$

❺ $11, 11, \dfrac{5}{2}, \dfrac{55}{12}, 4\dfrac{7}{12}$

❻ $8, 5, 2, 8, \dfrac{105}{64}, 1\dfrac{41}{64}$

❼ $\dfrac{5}{42}$ ❽ $\dfrac{15}{16}$ ❾ $1\dfrac{31}{32}$

❿ $\dfrac{20}{21}$ ⓫ $\dfrac{35}{72}$ ⓬ $\dfrac{27}{275}$

⓭ $1\dfrac{11}{54}$ ⓮ $3\dfrac{17}{21}$ ⓯ $\dfrac{9}{64}$

⓰ $1\dfrac{3}{5}$ ⓱ $1\dfrac{9}{35}$ ⓲ $1\dfrac{23}{40}$

⓳ $14\dfrac{1}{16}$ ⓴ $6\dfrac{27}{28}$

---

12 일차 플러스 계산 연습 · 54~55쪽

1 $\dfrac{11}{30}$ **2** $1\dfrac{11}{14}$ **3** $\dfrac{10}{27}$

4 $\dfrac{20}{189}$ **5** $11\dfrac{7}{10}$ **6** $\dfrac{13}{16}$

7 $\dfrac{12}{25}$ **8** $1\dfrac{49}{72}$

9 $10\dfrac{2}{7}$ **10** $1\dfrac{1}{35}$

11 $\dfrac{36}{119}, \dfrac{25}{64}$ **12** $1\dfrac{5}{22}, 2\dfrac{17}{30}, 5\dfrac{29}{32}$

13 $2\dfrac{1}{6}$ **14** $1\dfrac{1}{6}, 5\dfrac{1}{3}$

15 $1\dfrac{11}{45}$ **16** $3\dfrac{3}{5}$

12

㉠ $1\dfrac{1}{8} \div \dfrac{4}{9} \div \dfrac{3}{7} = \dfrac{9}{8} \div \dfrac{4}{9} \div \dfrac{3}{7} = \dfrac{9}{8} \times \dfrac{9}{4} \times \dfrac{\overset{3}{7}}{\underset{1}{3}}$

$\qquad = \dfrac{189}{32} = 5\dfrac{29}{32}$

㉡ $2\dfrac{3}{4} \times \dfrac{2}{5} \div \dfrac{3}{7} = \dfrac{11}{4} \times \dfrac{2}{5} \div \dfrac{3}{7} = \dfrac{11}{\underset{2}{4}} \times \dfrac{\overset{1}{2}}{5} \times \dfrac{7}{3}$

$\qquad = \dfrac{77}{30} = 2\dfrac{17}{30}$

㉢ $1\dfrac{4}{11} \times \dfrac{2}{5} \div \dfrac{4}{9} = \dfrac{15}{11} \times \dfrac{2}{5} \div \dfrac{4}{9} = \dfrac{\overset{3}{15}}{11} \times \dfrac{2}{\underset{1}{5}} \times \dfrac{9}{\underset{2}{4}}$

$\qquad = \dfrac{27}{22} = 1\dfrac{5}{22}$

13 $\dfrac{13}{16} \times 2 \div \dfrac{3}{4} = \dfrac{13}{\underset{8}{16}} \times \overset{1}{2} \times \dfrac{\overset{1}{4}}{3} = \dfrac{13}{6} = 2\dfrac{1}{6}$ (m)

15 $\dfrac{4}{5} \div \dfrac{3}{4} \div \dfrac{6}{7} = \dfrac{4}{5} \times \dfrac{4}{3} \times \dfrac{7}{\underset{3}{6}} = \dfrac{56}{45} = 1\dfrac{11}{45}$ (m)

평가 SPEED 연산력 TEST · 56~57쪽

❶ 9 ❷ 14 ❸ 25

❹ 88 ❺ 24 ❻ 78

❼ $11\dfrac{1}{4}$ ❽ $2\dfrac{8}{11}$ ❾ $2\dfrac{8}{9}$

❿ $\dfrac{5}{63}$ ⓫ $2\dfrac{5}{14}$ ⓬ $\dfrac{4}{7}$

⓭ $1\dfrac{13}{15}$ ⓮ $2\dfrac{4}{25}$ ⓯ $8\dfrac{3}{4}$

⓰ $\dfrac{24}{35}$ ⓱ $2\dfrac{4}{7}$ ⓲ $6\dfrac{1}{14}$

⓳ $\dfrac{1}{15}$ ⓴ $\dfrac{7}{33}$ ㉑ $2\dfrac{4}{15}$

㉒ $\dfrac{21}{40}$ ㉓ $\dfrac{26}{35}$ ㉔ $5\dfrac{5}{27}$

특강 문장제 문제 도전하기 58~61쪽

1 $7 ; \dfrac{1}{10}$, $7 ; 7$　　**2** $4 ; \dfrac{8}{9}$, $\dfrac{2}{9}$, $4 ; 4$

3 $6 ; \dfrac{12}{25}$, $\dfrac{2}{25}$, $6 ; 6$　　**4** $\dfrac{3}{4}$, $2\dfrac{2}{3}$

5 4, $1\dfrac{3}{5}$, $2\dfrac{1}{2}$　　**6** 5, $2\dfrac{5}{8}$, $1\dfrac{19}{21}$

7 $2\dfrac{2}{5}$; $1\dfrac{1}{8}$, $2\dfrac{2}{5}$; $2\dfrac{2}{5}$

8 $2\dfrac{1}{7}$; $1\dfrac{1}{4}$, $\dfrac{7}{12}$, $2\dfrac{1}{7}$; $2\dfrac{1}{7}$

9 $\dfrac{5}{28}$; $\dfrac{3}{5}$, $3\dfrac{9}{25}$, $\dfrac{5}{28}$; $\dfrac{5}{28}$

10 $1\dfrac{3}{5}$, $\dfrac{15}{16}$　　**11** $4\dfrac{2}{3}$, $\dfrac{7}{8}$, $5\dfrac{1}{3}$

12 $5\dfrac{5}{8}$, $3\dfrac{9}{16}$, $1\dfrac{11}{19}$

4 (가로)=(직사각형의 넓이)÷(세로)
$$=2 \div \dfrac{3}{4}=2 \times \dfrac{4}{3}=\dfrac{8}{3}=2\dfrac{2}{3} \text{ (m)}$$

특강 창의·융합·코딩·도전하기 62~63쪽

 $\dfrac{5}{8}$, $1\dfrac{83}{325}$; $1\dfrac{83}{325}$

 $\dfrac{3}{5}$

 (하반신의 길이)
$$=(\text{상반신의 길이}) \div \dfrac{5}{8}$$
$$=\dfrac{51}{65} \div \dfrac{5}{8}=\dfrac{51}{65} \times \dfrac{8}{5}=\dfrac{408}{325}=1\dfrac{83}{325} \text{ (m)}$$

 가$=\dfrac{15}{17}$, 나$=\dfrac{9}{17}$ 이고, 가>나이므로

다=나÷가$=\dfrac{9}{17} \div \dfrac{15}{17}=9 \div 15=\dfrac{9}{15}=\dfrac{3}{5}$

✷ 개념 ○✕ 퀴즈 정답

○　　✕

$$\dfrac{5}{6} \div \dfrac{4}{7}=\dfrac{5}{6} \times \dfrac{7}{4}=\dfrac{35}{24}=1\dfrac{11}{24}$$

2 소수의 나눗셈(1)

✷ 개념 ○✕ 퀴즈

계산이 바르면 ○에, 틀리면 ✕에 ○표 하세요

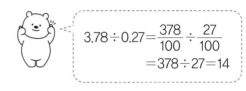
$$3.78 \div 0.27=\dfrac{378}{100} \div \dfrac{27}{100}$$
$$=378 \div 27=14$$

○　　

정답은 14쪽에서 확인하세요.

1 일차 기초 계산 연습 66~67쪽

❶ 4, 4　　❷ 5, 5
❸ 3, 3　　❹ 8, 8
❺ 13, 13　　❻ 17, 17
❼ 2, 2　　❽ 6, 6
❾ 7, 7　　❿ 14, 14
⓫ 3, 3, 7　　⓬ 13, 13, 4
⓭ 84, 84, 14　　⓮ 336, 336, 28, 12
⓯ 3　　⓰ 8
⓱ 12　　⓲ 7
⓳ 9　　⓴ 13
㉑ 11　　㉒ 24

❶ 나누어지는 수와 나누는 수에 똑같이 10배 해도 몫은 같습니다.

⓫ 소수 한 자리 수를 분모가 10인 분수로 바꾸어 계산합니다.

⓯ $1.5 \div 0.5=\dfrac{15}{10} \div \dfrac{5}{10}=15 \div 5=3$

⓱ $9.6 \div 0.8=\dfrac{96}{10} \div \dfrac{8}{10}=96 \div 8=12$

⓳ $19.8 \div 2.2=\dfrac{198}{10} \div \dfrac{22}{10}=198 \div 22=9$

㉑ $42.9 \div 3.9=\dfrac{429}{10} \div \dfrac{39}{10}=429 \div 39=11$

1일차 플러스 계산 연습 68~69쪽

1 $3.6 \div 0.6 = \dfrac{36}{10} \div \dfrac{6}{10} = 36 \div 6 = 6$

2 $2.8 \div 0.2 = \dfrac{28}{10} \div \dfrac{2}{10} = 28 \div 2 = 14$

3 $8.4 \div 1.2 = \dfrac{84}{10} \div \dfrac{12}{10} = 84 \div 12 = 7$

4 $17.1 \div 0.9 = \dfrac{171}{10} \div \dfrac{9}{10} = 171 \div 9 = 19$

5 $9.6 \div 2.4 = \dfrac{96}{10} \div \dfrac{24}{10} = 96 \div 24 = 4$

6 $20.4 \div 1.7 = \dfrac{204}{10} \div \dfrac{17}{10} = 204 \div 17 = 12$

7 6

8 8

9 7

10 22

11 5

12 14

13 33

14 45

15 24

16 56

17 8

18 14

19 2.5, 9

20 3.9, 18

---

1 분모가 10인 분수의 나눗셈으로 바꾸어 계산합니다.

13 (1분 동안 이동한 거리)
= (이동한 거리) ÷ (이동한 시간)
$= 49.5 \div 1.5 = \dfrac{495}{10} \div \dfrac{15}{10} = 495 \div 15 = 33$ (m)

18 $5.6 \div 0.4 = \dfrac{56}{10} \div \dfrac{4}{10} = 56 \div 4 = 14$(명)

19 $22.5 \div 2.5 = \dfrac{225}{10} \div \dfrac{25}{10} = 225 \div 25 = 9$ (m)

20 $70.2 \div 3.9 = \dfrac{702}{10} \div \dfrac{39}{10} = 702 \div 39 = 18$ (m)

2일차 기초 계산 연습 70~71쪽

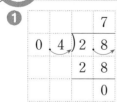

① 7, 0.4)2.8, 2 8, 0

② 9, 0.5)4.5, 4 5, 0

③ 6, 0.7)4.2, 4 2, 0

④ 4, 1.8)7.2, 7 2, 0

⑤ 5, 1.7)8.5, 8 5, 0

⑥ 3, 2.9)8.7, 8 7, 0

⑦ 1 8, 0.3)5.4, 3, 2 4, 2 4, 0

⑧ 1 2, 0.6)7.2, 6, 1 2, 1 2, 0

⑨ 3 7, 0.2)7.4, 6, 1 4, 1 4, 0

⑩ 1 7, 0.5)8.5, 5, 3 5, 3 5, 0

⑪ 1 3, 0.7)9.1, 7, 2 1, 2 1, 0

⑫ 2 3, 0.4)9.2, 8, 1 2, 1 2, 0

⑬ 2 1, 0.8)16.8, 1 6, 8, 8, 0

⑭ 3 5, 0.9)31.5, 2 7, 4 5, 4 5, 0

⑮ 2 8, 1.6)44.8, 3 2, 1 2 8, 1 2 8, 0

⑯ 1 1, 2.5)27.5, 2 5, 2 5, 2 5, 0

⑰

```
          1 4
1.9)2 6.6
    1 9
      7 6
      7 6
        0
```

⑱

```
          2 8
2.4)6 7.2
    4 8
    1 9 2
    1 9 2
        0
```

⑲

```
          1 6
3.6)5 7.6
    3 6
    2 1 6
    2 1 6
        0
```

⑳

```
          2 7
3.1)8 3.7
    6 2
    2 1 7
    2 1 7
        0
```

㉑

```
          1 9
4.2)7 9.8
    4 2
    3 7 8
    3 7 8
        0
```

---

2 일차 | 플러스 계산 연습 | 72~73쪽

1 3   **2** 4   **3** 4
4 12   **5** 7   **6** 24
7 17   **8** 17   **9** 28
10 7   **11** 9   **12** 18
13 32   **14** 15   **15** 24
16 (위에서부터) 27, 12, 9, 4
17 (위에서부터) 15, 3, 35, 7
18 4   **19** 2.7, 9
20 8   **21** 1.3, 14
22 3.4, 6   **23** 55.2, 12

20 (막대 1 m의 무게)=(막대 무게)÷(막대 길이)
　　 $=1.6 \div 0.2 = 8$ (kg)

22 (변의 수)=(정다각형의 둘레)÷(한 변의 길이)
　　 $=20.4 \div 3.4 = 6$(개)

---

3 일차 | 기초 계산 연습 | 74~75쪽

❶ 4, 4   **❷** 9, 9
❸ 17, 17   **❹** 3, 3
❺ 7, 7   **❻** 9, 9
❼ 8, 8   **❽** 12, 12
❾ 7, 7   **❿** 15, 15
⓫ 7, 7, 17   **⓬** 19, 19, 8
⓭ 782, 782, 23   **⓮** 1704, 1704, 12
⓯ 9   **⓰** 14
⓱ 17   **⓲** 18
⓳ 29   **⓴** 15
㉑ 7   **㉒** 13

❶ 나누어지는 수와 나누는 수에 똑같이 100배 해도 몫은 같습니다.

⓫ 소수 두 자리 수를 분모가 100인 분수로 바꾸어 계산합니다.

⓯ $0.36 \div 0.04 = \dfrac{36}{100} \div \dfrac{4}{100} = 36 \div 4 = 9$

---

3 일차 | 플러스 계산 연습 | 76~77쪽

1 $0.72 \div 0.12 = \dfrac{72}{100} \div \dfrac{12}{100} = 72 \div 12 = 6$

2 $2.16 \div 0.18 = \dfrac{216}{100} \div \dfrac{18}{100} = 216 \div 18 = 12$

3 $4.24 \div 0.53 = \dfrac{424}{100} \div \dfrac{53}{100} = 424 \div 53 = 8$

4 $15.48 \div 0.36 = \dfrac{1548}{100} \div \dfrac{36}{100} = 1548 \div 36 = 43$

5 $18.45 \div 1.23 = \dfrac{1845}{100} \div \dfrac{123}{100} = 1845 \div 123 = 15$

6 $9.56 \div 2.39 = \dfrac{956}{100} \div \dfrac{239}{100} = 956 \div 239 = 4$

7 7   **8** 38
9 12   **10** 8
11 21   **12** 14
13 7   **14** 8
15 13   **16** 16
17 6   **18** 0.24, 13
19 0.38, 16   **20** 10.01, 7

1 분모가 100인 분수의 나눗셈으로 바꾸어 계산합니다.

15 $1.95 \div 0.15 = \dfrac{195}{100} \div \dfrac{15}{100} = 195 \div 15 = 13$(개)

16 $5.12 \div 0.32 = \dfrac{512}{100} \div \dfrac{32}{100} = 512 \div 32 = 16$(개)

④ 일차 기초 계산 연습 78~79쪽

❶
```
          7
0.0 4)0.2 8
        2 8
          0
```

❷
```
          4
0.1 9)0.7 6
        7 6
          0
```

❸
```
          8
0.3 7)2.9 6
      2 9 6
          0
```

❹
```
          6
1.2 1)7.2 6
      7 2 6
          0
```

❺
```
          3
2.0 6)6.1 8
      6 1 8
          0
```

❻
```
          5
1.8 5)9.2 5
      9 2 5
          0
```

❼
```
        5 6
0.0 8)4.4 8
      4 0
        4 8
        4 8
          0
```

❽
```
        2 1
0.1 3)2.7 3
      2 6
        1 3
        1 3
          0
```

❾
```
        1 1
0.4 2)4.6 2
      4 2
        4 2
        4 2
          0
```

❿
```
        2 5
0.2 1)5.2 5
      4 2
      1 0 5
      1 0 5
          0
```

⓫
```
        1 9
0.3 5)6.6 5
      3 5
      3 1 5
      3 1 5
          0
```

⓬
```
        1 3
0.4 9)6.3 7
      4 9
      1 4 7
      1 4 7
          0
```

⓭
```
        3 6
0.1 2)4.3 2
      3 6
        7 2
        7 2
          0
```

⓮
```
        1 5
0.2 7)4.0 5
      2 7
      1 3 5
      1 3 5
          0
```

⓯
```
        1 2
0.6 8)8.1 6
      6 8
      1 3 6
      1 3 6
          0
```

⓰
```
        1 7
1.5 7)2 6.6 9
      1 5 7
      1 0 9 9
      1 0 9 9
            0
```

⓱
```
        2 4
2.3 1)5 5.4 4
      4 6 2
        9 2 4
        9 2 4
            0
```

⓲
```
        2 9
1.4 8)4 2.9 2
      2 9 6
      1 3 3 2
      1 3 3 2
            0
```

⓳
```
        1 6
3.6 4)5 8.2 4
      3 6 4
      2 1 8 4
      2 1 8 4
            0
```

④ 일차 플러스 계산 연습 80~81쪽

1 9	**2** 6	**3** 12
4 19	**5** 14	**6** 23
7 6	**8** 38	**9** 27
10 15	**11** 11	**12** 31

13 (위에서부터) 6, 4, 9, 6

14 (위에서부터) 21, 12, 14, 8

15 5	**16** 3
17 8	**18** 1.26, 12
19 0.62, 3	**20** 4.55, 13

15 (열쇠의 무게)÷(금 1돈의 무게)
　　=18.75÷3.75=5(돈)

19 (책장 높이)÷(탁자 높이)
　　=1.86÷0.62=3(배)

20 (소나무 높이)÷(국화 높이)
　　=4.55÷0.35=13(배)

---

❶ 2.3, 2.3　　　　❷ 0.8, 0.8
❸ 0.2, 0.2　　　　❹ 4.5, 4.5
❺ 1.3, 1.3　　　　❻ 0.6, 0.6
❼ 3.3, 3.3　　　　❽ 1.9, 1.9

❾
```
            1.3
0.8 0)1.0 4 0
        8 0
        2 4 0
        2 4 0
            0
```
❿
```
            1.7
1.4 0)2.3 8 0
        1 4 0
        9 8 0
        9 8 0
            0
```

⓫
```
            3.2
1.6 0)5.1 2 0
        4 8 0
        3 2 0
        3 2 0
            0
```
⓬
```
            6.5
0.9 0)5.8 5 0
        5 4 0
        4 5 0
        4 5 0
            0
```

⓭
```
            1.4
2.3 0)3.2 2 0
        2 3 0
        9 2 0
        9 2 0
            0
```
⓮
```
            4.9
1.1 0)5.3 9 0
        4 4 0
        9 9 0
        9 9 0
            0
```

⓯
```
            2.6
2.7 0)7.0 2 0
        5 4 0
        1 6 2 0
        1 6 2 0
            0
```
⓰
```
            1.8
3.8 0)6.8 4 0
        3 8 0
        3 0 4 0
        3 0 4 0
            0
```

---

1 60, 3.8　　　　**2** 50, 1.3
3 130, 0.9　　　　**4** 70, 1.2
5 588, 2.8　　　　**6** 343, 0.7
7 504, 1.4　　　　**8** 875, 3.5
9 0.8　　　　**10** 2.8
11 0.6　　　　**12** 1.7
13 1.9　　　　**14** 3.2
15 7.5　　　　**16** 2.3, 6.4
17 4.8, 8.8　　　　**18** 40.32, 7.2
19 1.8　　　　**20** 1.4, 2.7
21 1.2, 1.6　　　　**22** 3.78, 2.1

15 (연료 1 L로 달린 거리)
　　=(달린 거리)÷(사용한 연료)
　　=12.75÷1.7=1275÷170=7.5 (km)

16 14.72÷2.3=1472÷230=6.4 (km)

19 (밑변의 길이)=(평행사변형의 넓이)÷(높이)
　　　　　　=1.08÷0.6=108÷60=1.8 (m)

21 (주영이가 모은 헌 종이의 무게)
　　÷(정아가 모은 헌 종이의 무게)
　　=1.92÷1.2=192÷120=1.6(배)

---

❶ 0.4, 0.4　　　　❷ 3.9, 3.9
❸ 1.3, 1.3　　　　❹ 0.8, 0.8
❺ 2.7, 2.7　　　　❻ 0.5, 0.5
❼ 2.3, 2.3　　　　❽ 3.1, 3.1

❾
```
            0.7
1.4 )0.9 8
        9 8
          0
```
❿
```
            0.3
0.5 )0.1 5
        1 5
          0
```

⓫
```
            0.4
1.7 )0.6 8
        6 8
          0
```
⓬
```
            1.2
2.6 )3.1 2
        2 6
        5 2
        5 2
          0
```

정답과 해설

⑬
```
          1 . 9
2 . 1 ) 3 . 9 . 9
        2 1
        1 8 9
        1 8 9
            0
```

⑭
```
          3 . 8
0 . 7 ) 2 . 6 . 6
        2 1
          5 6
          5 6
            0
```

⑮
```
          2 . 5
2 . 3 ) 5 . 7 . 5
        4 6
        1 1 5
        1 1 5
            0
```

⑯
```
          3 . 3
1 . 9 ) 6 . 2 . 7
        5 7
          5 7
          5 7
            0
```

⑰
```
          1 . 6
3 . 3 ) 5 . 2 . 8
        3 3
        1 9 8
        1 9 8
            0
```

⑱
```
          1 . 5
4 . 3 ) 6 . 4 . 5
        4 3
        2 1 5
        2 1 5
            0
```

⑲
```
          1 . 7
3 . 5 ) 5 . 9 . 5
        3 5
        2 4 5
        2 4 5
            0
```

⑳
```
          3 . 1
2 . 8 ) 8 . 6 . 8
        8 4
          2 8
          2 8
            0
```

19 (1분에 간 거리)
　＝(간 거리)÷(간 시간)
　＝4.25÷2.5＝42.5÷25＝1.7 (km)

21 (강아지 무게)÷(고양이 무게)
　＝5.18÷3.7＝51.8÷37＝1.4(배)

6 일차 플러스 계산 연습 88~89쪽

1 8, 1.4	2 9, 0.7
3 12, 2.2	4 19, 1.5
5 18.9, 0.7	6 57.6, 1.8
7 96.6, 2.1	8 74.2, 5.3
9 2.7	10 0.8
11 1.3	12 1.8
13 4.5	14 2.9

15 (위에서부터) 7.7, 1.4
16 (위에서부터) 2.4, 5.7

17 1.3	18 4.2, 0.7
19 1.7	20 6.3, 1.4
21 3.7, 1.4	22 6.7, 0.6

평가 SPEED 연산력 TEST 90~91쪽

❶ 15	❷ 9	❸ 13
❹ 24	❺ 14	❻ 8
❼ 0.7	❽ 2.8	❾ 3.4
❿ 16	⓫ 7	⓬ 29
⓭ 11	⓮ 35	⓯ 18
⓰ 1.7	⓱ 2.7	⓲ 1.3
⓳ 23	⓴ 6	㉑ 17
㉒ 12	㉓ 8	㉔ 37
㉕ 15	㉖ 19	㉗ 1.3
㉘ 3.3	㉙ 2.6	㉚ 2.5

특강 문장제 문제 도전하기 92~93쪽

1 13 ; 1.9, 13 ; 13
2 1.5 ; 4.35, 2.9, 1.5 ; 1.5
3 28 ; 1.96, 0.07, 28 ; 28
4 54.4, 3.4, 16
5 4.08, 2.4, 1.7
6 1.38, 0.03, 46

특강 창의·융합·코딩·도전하기 94~95쪽

 5, 0.9　　 39　　융합3 7

창의2 29.25÷0.75＝39(개)

융합3 72.1÷10.3＝7(배)

✻ 개념 ○✕ 퀴즈 정답

3 소수의 나눗셈 (2)

✳ 개념 ○✕ 퀴즈

계산이 바르면 ○에, 틀리면 ✕에 ○표 하세요.

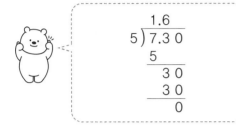

○   ✕

정답은 21쪽에서 확인하세요.

1 일차   기초 계산 연습   98~99쪽

① 26, 26   ② 5, 5
③ 5, 5   ④ 4, 4
⑤ 12, 12   ⑥ 15, 15
⑦ 25, 25   ⑧ 12, 12
⑨ 4, 4, 95   ⑩ 48, 240, 48, 5
⑪ 210, 35, 210, 35, 6
⑫ 420, 84, 420, 84, 5
⑬ 50   ⑭ 2
⑮ 15   ⑯ 15
⑰ 56   ⑱ 25

⑬ $35 \div 0.7 = \dfrac{350}{10} \div \dfrac{7}{10} = 350 \div 7 = 50$

⑭ $17 \div 8.5 = \dfrac{170}{10} \div \dfrac{85}{10} = 170 \div 85 = 2$

⑮ $51 \div 3.4 = \dfrac{510}{10} \div \dfrac{34}{10} = 510 \div 34 = 15$

⑯ $87 \div 5.8 = \dfrac{870}{10} \div \dfrac{58}{10} = 870 \div 58 = 15$

⑰ $364 \div 6.5 = \dfrac{3640}{10} \div \dfrac{65}{10} = 3640 \div 65 = 56$

⑱ $135 \div 5.4 = \dfrac{1350}{10} \div \dfrac{54}{10} = 1350 \div 54 = 25$

1 일차   플러스 계산 연습   100~101쪽

1 $77 \div 2.2 = \dfrac{770}{10} \div \dfrac{22}{10} = 770 \div 22 = 35$

2 $9 \div 1.5 = \dfrac{90}{10} \div \dfrac{15}{10} = 90 \div 15 = 6$

3 $17 \div 3.4 = \dfrac{170}{10} \div \dfrac{34}{10} = 170 \div 34 = 5$

4 $49 \div 3.5 = \dfrac{490}{10} \div \dfrac{35}{10} = 490 \div 35 = 14$

5 $98 \div 2.8 = \dfrac{980}{10} \div \dfrac{28}{10} = 980 \div 28 = 35$

6 $72 \div 4.5 = \dfrac{720}{10} \div \dfrac{45}{10} = 720 \div 45 = 16$

7 $63 \div 4.2 = \dfrac{630}{10} \div \dfrac{42}{10} = 630 \div 42 = 15$

8 $54 \div 3.6 = \dfrac{540}{10} \div \dfrac{36}{10} = 540 \div 36 = 15$

9 16   **10** 5
11 38   **12** 20
13 15   **14** 3.6, 5
15 30   **16** 8
17 1.4, 25   **18** 1.2, 15
19 34, 6.8, 5 **20** 36, 1.5, 24

9 $24 \div 1.5 = \dfrac{240}{10} \div \dfrac{15}{10} = 240 \div 15 = 16$

10 $32 \div 6.4 = \dfrac{320}{10} \div \dfrac{64}{10} = 320 \div 64 = 5$

11 $19 \div 0.5 = \dfrac{190}{10} \div \dfrac{5}{10} = 190 \div 5 = 38$

12 $78 \div 3.9 = \dfrac{780}{10} \div \dfrac{39}{10} = 780 \div 39 = 20$

13 $69 \div 4.6 = 15(자루)$

14 $18 \div 3.6 = 5(자루)$

15 $51 \div 1.7 = 30(자루)$

16 $44 \div 5.5 = 8(자루)$

19 (필요한 상자 수)
＝(살구의 무게)÷(한 상자에 담는 살구의 무게)
＝$34 \div 6.8 = 5(상자)$

20 (필요한 상자 수)
＝(매실의 무게)÷(한 상자에 담는 매실의 무게)
＝$36 \div 1.5 = 24(상자)$

❷ 일차　기초 계산 연습　102~103쪽

❶
```
           6
3.5)2 1.0
    2 1 0
        0
```

❷
```
           5
7.8)3 9.0
    3 9 0
        0
```

❸
```
           5
2.8)1 4.0
    1 4 0
        0
```

❹
```
           6
4.5)2 7.0
    2 7 0
        0
```

❺
```
           5
9.2)4 6.0
    4 6 0
        0
```

❻
```
           4
8.5)3 4.0
    3 4 0
        0
```

❼
```
           5
7.6)3 8.0
    3 8 0
        0
```

❽
```
           8
5.5)4 4.0
    4 4 0
        0
```

❾
```
           5
9.4)4 7.0
    4 7 0
        0
```

❿
```
         1 6
3.5)5 6.0
    3 5
    2 1 0
    2 1 0
        0
```

⓫
```
         1 5
5.4)8 1.0
    5 4
    2 7 0
    2 7 0
        0
```

⓬
```
         1 4
6.5)9 1.0
    6 5
    2 6 0
    2 6 0
        0
```

⓭
```
         3 8
1.5)5 7.0
    4 5
    1 2 0
    1 2 0
        0
```

⓮
```
         1 5
3.2)4 8.0
    3 2
    1 6 0
    1 6 0
        0
```

⓯
```
         3 4
0.5)1 7.0
    1 5
    2 0
    2 0
       0
```

⓰
```
         1 5
5.8)8 7.0
    5 8
    2 9 0
    2 9 0
        0
```

⓱
```
         2 5
2.2)5 5.0
    4 4
    1 1 0
    1 1 0
        0
```

⓲
```
         5 4
1.5)8 1.0
    7 5
    6 0
    6 0
       0
```

⓳
```
           3 2
4.5)1 4 4.0
    1 3 5
        9 0
        9 0
          0
```

⓴
```
           4 2
2.5)1 0 5.0
    1 0 0
        5 0
        5 0
          0
```

㉑
```
           4 5
3.8)1 7 1.0
    1 5 2
        1 9 0
        1 9 0
            0
```

② 일차 플러스 계산 연습 104~105쪽

1 15	**2** 26
3 35	**4** 15
5 15	**6** 15
7 15	**8** 4
9 8	**10** 5
11 18	**12** 14
13 25	**14** 11.8, 45
15 15	**16** 35
17 0.2, 50	**18** 0.5, 40
19 57, 3.8, 15	**20** 60, 2.5, 24

7
$$3.4 \overline{)51.0}$$
15
34
170
170
0

8
$$6.5 \overline{)26.0}$$
4
260
0

9
$$8.5 \overline{)68.0}$$
8
680
0

10
$$11.8 \overline{)59.0}$$
5
590
0

11
$$4.5 \overline{)81.0}$$
18
45
360
360
0

12
$$1.5 \overline{)21.0}$$
14
15
60
60
0

13
$$8.6 \overline{)215.0}$$
25
172
430
430
0

14
$$11.8 \overline{)531.0}$$
45
472
590
590
0

15
$$9.8 \overline{)147.0}$$
15
98
490
490
0

16
$$7.4 \overline{)259.0}$$
35
222
370
370
0

17 (마실 수 있는 사람 수)
  =(우유의 양)÷(한 명이 마시는 우유의 양)
  =10÷0.2=50(명)

18 (마실 수 있는 사람 수)
  =(두유의 양)÷(한 명이 마시는 두유의 양)
  =20÷0.5=40(명)

19 (받을 수 있는 사람 수)
  =(소금의 양)÷(한 명이 받는 소금의 양)
  =57÷3.8=15(명)

20 (받을 수 있는 사람 수)
  =(설탕의 양)÷(한 명이 받는 설탕의 양)
  =60÷2.5=24(명)

③ 일차 기초 계산 연습 106~107쪽

❶ 40, 40	**❷** 25, 25
❸ 4, 4	**❹** 28, 28
❺ 4, 4	**❻** 75, 75
❼ 32, 32	**❽** 60, 60
❾ 36, 36, 25	**❿** 12, 600, 12, 50
⓫ 4700, 188, 4700, 188, 25	
⓬ 1700, 425, 1700, 425, 4	
⓭ 12	**⓮** 4
⓯ 25	**⓰** 8
⓱ 28	**⓲** 12

⓭ $3 \div 0.25 = \dfrac{300}{100} \div \dfrac{25}{100} = 300 \div 25 = 12$

⓮ $5 \div 1.25 = \dfrac{500}{100} \div \dfrac{125}{100} = 500 \div 125 = 4$

⓯ $19 \div 0.76 = \dfrac{1900}{100} \div \dfrac{76}{100} = 1900 \div 76 = 25$

⓰ $30 \div 3.75 = \dfrac{3000}{100} \div \dfrac{375}{100} = 3000 \div 375 = 8$

⓱ $35 \div 1.25 = \dfrac{3500}{100} \div \dfrac{125}{100} = 3500 \div 125 = 28$

⓲ $27 \div 2.25 = \dfrac{2700}{100} \div \dfrac{225}{100} = 2700 \div 225 = 12$

정답과 해설

③ 일차 플러스 계산 연습　108~109쪽

1 25, 25　　　**2** 40, 40

3 72, 72　　　**4** 20

5 8　　　　　**6** 25

7 8　　　　　**8** 25

9 36　　　　　**10** 25

11 0.84, 25　　**12** 8

13 8　　　　　**14** 1.75, 4

15 0.12, 25　　**16** 18, 0.36, 50

17 43, 1.72, 25

4 $63 \div 3.15 = \dfrac{6300}{100} \div \dfrac{315}{100} = 6300 \div 315 = 20$

5 $42 \div 5.25 = \dfrac{4200}{100} \div \dfrac{525}{100} = 4200 \div 525 = 8$

6 $86 \div 3.44 = \dfrac{8600}{100} \div \dfrac{344}{100} = 8600 \div 344 = 25$

7 $22 \div 2.75 = \dfrac{2200}{100} \div \dfrac{275}{100} = 2200 \div 275 = 8$

8 $46 \div 1.84 = \dfrac{4600}{100} \div \dfrac{184}{100} = 4600 \div 184 = 25$

9 $63 \div 1.75 = \dfrac{6300}{100} \div \dfrac{175}{100} = 6300 \div 175 = 36$

10 $12 \div 0.48 = 25$(도막)

11 $21 \div 0.84 = 25$(도막)

12 $14 \div 1.75 = 8$(도막)

13 $26 \div 3.25 = 8$(도막)

14 (담을 수 있는 병의 수)
= (간장의 양) ÷ (한 병에 담는 간장의 양)
= $7 \div 1.75 = 4$(병)

15 (담을 수 있는 병의 수)
= (참기름의 양) ÷ (한 병에 담는 참기름의 양)
= $3 \div 0.12 = 25$(병)

16 (담을 수 있는 통의 수)
= (고추장의 양) ÷ (한 통에 담는 고추장의 양)
= $18 \div 0.36 = 50$(통)

17 (담을 수 있는 통의 수)
= (된장의 양) ÷ (한 통에 담는 된장의 양)
= $43 \div 1.72 = 25$(통)

④ 일차 기초 계산 연습　110~111쪽

❶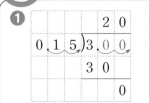

❷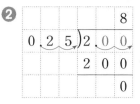

❸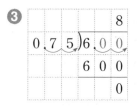

❹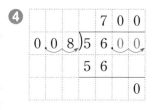

❺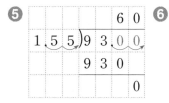

❻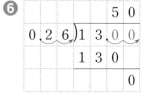

❼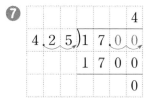

❽

❾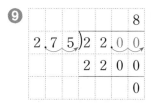

❿

⓫

⓬

⓭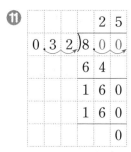

⓮

18

⑮

```
            7 5
0.16)1 2.0 0
     1 1 2
         8 0
         8 0
           0
```

⑯

```
            2 5
1.28)3 2.0 0
     2 5 6
         6 4 0
         6 4 0
             0
```

⑰

```
            2 4
1.25)3 0.0 0
     2 5 0
         5 0 0
         5 0 0
             0
```

⑱

```
            2 5
0.92)2 3.0 0
     1 8 4
         4 6 0
         4 6 0
             0
```

⑲

```
            2 4
1.75)4 2.0 0
     3 5 0
         7 0 0
         7 0 0
             0
```

⑳

```
            2 8
2.75)7 7.0 0
     5 5 0
         2 2 0 0
         2 2 0 0
               0
```

㉑

```
            2 5
1.36)3 4.0 0
     2 7 2
         6 8 0
         6 8 0
             0
```

7

```
              2 8
2.25)6 3.0 0
     4 5 0
       1 8 0 0
       1 8 0 0
               0
```

8

```
            5 2
0.25)1 3.0 0
     1 2 5
         5 0
         5 0
           0
```

9

```
            2 8
1.75)4 9.0 0
     3 5 0
       1 4 0 0
       1 4 0 0
             0
```

10

```
            2 8
0.25)7.0 0
     5 0
       2 0 0
       2 0 0
           0
```

11

```
            2 5
0.64)1 6.0 0
     1 2 8
         3 2 0
         3 2 0
             0
```

12

```
            1 6
4.25)6 8.0 0
     4 2 5
       2 5 5 0
       2 5 5 0
               0
```

13

```
            2 0
0.55)1 1.0 0
     1 1 0
           0
```

14

```
            6 0
0.45)2 7.0 0
     2 7 0
           0
```

15

```
            5 0
0.62)3 1.0 0
     3 1 0
           0
```

16

```
            2 8
1.75)4 9.0 0
     3 5 0
       1 4 0 0
       1 4 0 0
             0
```

17 (건물의 높이)÷(수지의 키)=32÷1.28=25(배)

18 (건물의 높이)÷(민호의 키)=71÷1.42=50(배)

19 (건물의 높이)÷(엄마의 키)=41÷1.64=25(배)

20 (건물의 높이)÷(아빠의 키)=48÷1.92=25(배)

④ 일차	플러스 계산 연습	112~113쪽

1 28	**2** 25
3 75	**4** 24
5 75	**6** 48
7 28	**8** 52
9 28	**10** 28
11 25	**12** 16
13 20	**14** 0.45, 60
15 50	**16** 28
17 1.28, 25	**18** 1.42, 50
19 41, 1.64, 25	**20** 48, 1.92, 25

⑤ 일차	기초 계산 연습	114~115쪽

❶ 4	❷ 3	❸ 5
❹ 2	❺ 3	❻ 4
❼ 1.3	❽ 0.8	❾ 1.3
❿ 1.8	⓫ 2.3	⓬ 6.3
⓭ 0.69	⓮ 1.89	⓯ 2.79

정답과 해설

---

⑤ **일차** 플러스 계산 연습   **116~117쪽**

1 1		**2** 1	
3 3		**4** 11	
5 21		**6** 2	
7 2.8, 2.78		**8** 1.6, 1.65	
9 5.8, 5.83		**10** 4.8, 4.81	
11 3		**12** 2	
13 2		**14** 3	
15 2		**16** 1	
17 2.3		**18** 2.8	

1 $17 \div 12 = 1.4 \cdots$ → 1

2 $15 \div 11 = 1.3 \cdots$ → 1

3 $2.3 \div 0.7 = 3.2 \cdots$ → 3

4 $8.7 \div 0.8 = 10.8 \cdots$ → 11

5 $6.34 \div 0.3 = 21.1 \cdots$ → 21

6 $9.79 \div 5.1 = 1.9 \cdots$ → 2

7 $25 \div 9 = 2.777 \cdots$

8 $28 \div 17 = 1.647 \cdots$

9 $3.5 \div 0.6 = 5.833 \cdots$

10 $43.3 \div 9 = 4.811 \cdots$

11 $8 \div 3 = 2.6 \cdots$ → 3배

12 $13 \div 7 = 1.8 \cdots$ → 2배

13 $5 \div 3 = 1.6 \cdots$ → 2배

14 $8.8 \div 3.3 = 2.6 \cdots$ → 3배

15 $5.9 \div 3.7 = 1.5 \cdots$ → 2배

16 $4.9 \div 3.4 = 1.4 \cdots$ → 1배

17 (설탕의 양)÷(소금의 양)
　　$= 16 \div 7 = 2.28 \cdots$ → 2.3배

18 (밀가루의 양)÷(빵가루의 양)
　　$= 8.7 \div 3.1 = 2.80 \cdots$ → 2.8배

---

⑥ **일차** 기초 계산 연습   **118~119쪽**

❶ 4, 2.3	**❷** 2, 0.8
❸ 3, 3.4	**❹** 4, 2.74
❺ 3, 18, 0.8 ; 3, 0.8	**❻** 6, 24, 3.6 ; 6, 3.6
❼ 7, 63, 4.2 ; 7, 4.2	**❽** 5, 35, 3.4 ; 5, 3.4
❾ 2, 4, 0.7 ; 2, 0.7	**❿** 2, 8, 0.26 ; 2, 0.26

---

⑥ **일차** 플러스 계산 연습   **120~121쪽**

1 6, 1.4	**2** 2, 7.3
3 10, 1.7	**4** 6, 0.6
5 2, 1.2	**6** 4, 6.6
7 3, 2.5	**8** 2, 0.26
9 7	**10** 3
11 6	**12** 4
13 9, 1.9	**14** 9, 1.6
15 5, 0.7	**16** 7, 6.4

5
```
      2
  4) 9.2
     8
     1.2
```

6
```
       4
  9) 4 2.6
     3 6
       6.6
```

7
```
        3
  3) 1 1.5
     9
     2.5
```

8
```
         2
  5) 1 0.2 6
     1 0
       0.2 6
```

9
```
        7
  3) 2 1.7
     2 1
       0.7
```

10
```
        3
  6) 2 1.2
     1 8
       3.2
```

11
```
        6
  7) 4 6.4
     4 2
       4.4
```

12
```
        4
  8) 3 8.6
     3 2
       6.6
```

13
```
        9
  4) 3 7.9
     3 6
       1.9
```

14
```
        9
  2) 1 9.6
     1 8
       1.6
```

15
```
        5
  7) 3 5.7
     3 5
       0.7
```

16
```
        7
  8) 6 2.4
     5 6
       6.4
```

평가 SPEED 연산력 TEST 122~123쪽

① 15
② 75
③ 5
④ 6
⑤ 16
⑥ 15
⑦ 8
⑧ 25
⑨ 12
⑩ 75
⑪ 8.8
⑫ 9.3
⑬ 3.6
⑭ 2.6
⑮ 1.17
⑯ 31.33
⑰ 0.85
⑱ 0.76
⑲ 1.7
⑳ 0.6

특강 문장제 문제 도전하기 124~125쪽

1 106 ; 265, 2.5, 106 ; 106
2 72 ; 252, 3.5, 72 ; 72
3 84 ; 378, 4.5, 84 ; 84
4 12, 2.4, 5
5 1, 0.25, 4
6 7, 0.14, 50

특강 창의·융합·코딩·도전하기 126~127쪽

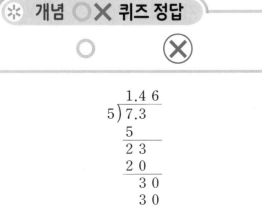

창의 **1** 5, 5
융합 **2** 1.15
융합 **3** 13, 4.3

✳ 개념 ○✕ 퀴즈 정답

○   ⊗

```
      1.4 6
5 ) 7.3
    5
    2 3
    2 0
      3 0
      3 0
        0
```

4 비례식과 비례배분

정답은 28쪽에서 확인하세요.

✳ 개념 ○✕ 퀴즈

옳으면 ◯에, 틀리면 ✖에 ◯표 하세요.

비 4 : 7에서 4를 전항, 7을 후항이라고 합니다.

◯   ✕

1 일차 기초 계산 연습 130~131쪽

① 15
② 4
③ 24
④ 35
⑤ 2, 14
⑥ 3, 15
⑦ 3, 27
⑧ 2, 14
⑨ 4, 28, 16
⑩ 5, 20, 45
⑪ 32, 4
⑫ 30, 6
⑬ 33, 3
⑭ 77, 7
⑮ 6, 18
⑯ 5, 35
⑰ 7, 28
⑱ 3, 45
⑲ 6, 27, 3
⑳ 5, 25, 55

1 일차 플러스 계산 연습 132~133쪽

1 28
2 15
3 12
4 42
5 18
6 21
7 12 : 21에 ◯표
8 45 : 27에 ◯표
9 12 : 28에 ◯표
10 48 : 30에 ◯표
11 49
12 42
13 18
14 39
15 4, 63
16 18, 104
17 15, 36
18 15, 56

7 $4:7 \rightarrow 12:21$ (×3, ×3)   **8** $5:3 \rightarrow 45:27$ (×9, ×9)

9 $3:7 \rightarrow 12:28$ (×4, ×4)   **10** $8:5 \rightarrow 48:30$ (×6, ×6)

11 8 : 7의 전항과 후항에 7을 곱합니다.
→ $7 \times 7 = 49$

12 6 : 7의 전항과 후항에 6을 곱합니다.
→ $7 \times 6 = 42$

13 3 : 5의 전항과 후항에 6을 곱합니다.
→ $3 \times 6 = 18$

14 13 : 15의 전항과 후항에 3을 곱합니다.
→ $13 \times 3 = 39$

15 $2:9 \rightarrow 4:18$, $2:9 \rightarrow 14:63$ (×2, ×7)

16 $6:13 \rightarrow 18:39$, $6:13 \rightarrow 48:104$ (×3, ×8)

17 $4:3 \rightarrow 20:15$, $4:3 \rightarrow 36:27$ (×5, ×9)

18 $8:5 \rightarrow 24:15$, $8:5 \rightarrow 56:35$ (×3, ×7)

---

② 일차 기초 계산 연습 134~135쪽

❶ 3	❷ 2
❸ 6	❹ 9
❺ 2, 5	❻ 3, 9
❼ 4, 6	❽ 5, 5
❾ 7, 3, 5	❿ 3, 3, 8
⓫ 5, 9	⓬ 5, 4
⓭ 5, 4	⓮ 9, 4
⓯ 10, 4	⓰ 7, 4
⓱ 9, 5, 6	⓲ 8, 17, 2
⓳ 6, 7, 11	⓴ 7, 8, 12

---

② 일차 플러스 계산 연습 136~137쪽

1 4	**2** 2
3 17	**4** 9
5 5	**6** 6
7 3 : 2에 ○표	**8** 6 : 5에 ○표
9 9 : 8에 ○표	**10** 4 : 7에 ○표
11 4	**12** 5
13 4	**14** 8
15 26, 8	**16** 21, 9
17 20, 3	**18** 12, 7

7 $21:14 \rightarrow 3:2$ (÷7)   **8** $24:20 \rightarrow 6:5$ (÷4)

9 $54:48 \rightarrow 9:8$ (÷6)   **10** $36:63 \rightarrow 4:7$ (÷9)

15 $48:78 \rightarrow 16:26$, $48:78 \rightarrow 8:13$ (÷3, ÷6)

16 $54:42 \rightarrow 27:21$, $54:42 \rightarrow 9:7$ (÷2, ÷6)

17 $40:24 \rightarrow 20:12$, $40:24 \rightarrow 5:3$ (÷2, ÷8)

18 $48:56 \rightarrow 12:14$, $48:56 \rightarrow 6:7$ (÷4, ÷8)

---

③ 일차 기초 계산 연습 138~139쪽

❶ 15, 10 ; 3, 2	❷ 3, 14 ; 6, 7
❸ 2, 35 ; 14, 2	❹ 3, 27 ; 9, 8
❺ 8, 7, 5	❻ 7, 9, 4
❼ 5, 9, 14	❽ 15, 4, 3
❾ 16, 1, 4	❿ 18, 2, 3
⓫ 9, 2	⓬ 6, 5
⓭ 9, 5	⓮ 11, 6
⓯ 7, 9	⓰ 5, 4

정답과 해설

⑤ $56:40 \Rightarrow (56 \div 8):(40 \div 8) \Rightarrow 7:5$

⑥ $63:28 \Rightarrow (63 \div 7):(28 \div 7) \Rightarrow 9:4$

⑦ $45:70 \Rightarrow (45 \div 5):(70 \div 5) \Rightarrow 9:14$

⑧ $60:45 \Rightarrow (60 \div 15):(45 \div 15) \Rightarrow 4:3$

⑨ $16:64 \Rightarrow (16 \div 16):(64 \div 16) \Rightarrow 1:4$

⑩ $36:54 \Rightarrow (36 \div 18):(54 \div 18) \Rightarrow 2:3$

⑪ $63:14 \Rightarrow (63 \div 7):(14 \div 7) \Rightarrow 9:2$

⑫ $18:15 \Rightarrow (18 \div 3):(15 \div 3) \Rightarrow 6:5$

⑬ $54:30 \Rightarrow (54 \div 6):(30 \div 6) \Rightarrow 9:5$

⑭ $33:18 \Rightarrow (33 \div 3):(18 \div 3) \Rightarrow 11:6$

⑮ $28:36 \Rightarrow (28 \div 4):(36 \div 4) \Rightarrow 7:9$

⑯ $30:24 \Rightarrow (30 \div 6):(24 \div 6) \Rightarrow 5:4$

3 일차 플러스 계산 연습 140~141쪽

1 6		**2** 8, 8	
3 3, 6		**4** 12, 5	
5 5, 9		**6** 9, 10	
7 $5:1$		**8** $9:10$	
9 $8:5$		**10** $5:9$	
11 $5:8$		**12** $7:5$	
13 11, 10		**14** 7, 6	
15 6, 5		**16** 5, 4	
17 7, 4		**18** 3, 5	
19 11, 13		**20** 14, 9	

13 $44:40 \Rightarrow (44 \div 4):(40 \div 4) \Rightarrow 11:10$

14 $42:36 \Rightarrow (42 \div 6):(36 \div 6) \Rightarrow 7:6$

15 $48:40 \Rightarrow (48 \div 8):(40 \div 8) \Rightarrow 6:5$

16 $45:36 \Rightarrow (45 \div 9):(36 \div 9) \Rightarrow 5:4$

17 $28:16 \Rightarrow (28 \div 4):(16 \div 4) \Rightarrow 7:4$

18 $27:45 \Rightarrow (27 \div 9):(45 \div 9) \Rightarrow 3:5$

19 $44:52 \Rightarrow (44 \div 4):(52 \div 4) \Rightarrow 11:13$

20 $84:54 \Rightarrow (84 \div 6):(54 \div 6) \Rightarrow 14:9$

4 일차 기초 계산 연습 142~143쪽

❶ 10, 7		❷ 10, 12	
❸ 10, 16		❹ 10, 24	
❺ 100, 36		❻ 100, 288	
❼ 10, 28, 4, 1, 7		❽ 10, 36, 9, 3, 4	
❾ 10, 42, 6, 7, 1		❿ 10, 16, 8, 2, 7	
⓫ 3, 4		⓬ 9, 7	
⓭ 4, 15		⓮ 2, 1	
⓯ 4, 3		⓰ 5, 7	
⓱ 6, 7		⓲ 2, 9	

⑫ $6.3:4.9 \Rightarrow (6.3 \times 10):(4.9 \times 10)$
$\Rightarrow 63:49$
$\Rightarrow (63 \div 7):(49 \div 7)$
$\Rightarrow 9:7$

⑬ $1.2:4.5 \Rightarrow (1.2 \times 10):(4.5 \times 10)$
$\Rightarrow 12:45$
$\Rightarrow (12 \div 3):(45 \div 3)$
$\Rightarrow 4:15$

⑭ $3.2:1.6 \Rightarrow (3.2 \times 10):(1.6 \times 10)$
$\Rightarrow 32:16$
$\Rightarrow (32 \div 16):(16 \div 16)$
$\Rightarrow 2:1$

⑮ $5.2:3.9 \Rightarrow (5.2 \times 10):(3.9 \times 10)$
$\Rightarrow 52:39$
$\Rightarrow (52 \div 13):(39 \div 13)$
$\Rightarrow 4:3$

⑯ $2.5:3.5 \Rightarrow (2.5 \times 10):(3.5 \times 10)$
$\Rightarrow 25:35$
$\Rightarrow (25 \div 5):(35 \div 5)$
$\Rightarrow 5:7$

⑰ $0.24:0.28 \Rightarrow (0.24 \times 100):(0.28 \times 100)$
$\Rightarrow 24:28$
$\Rightarrow (24 \div 4):(28 \div 4)$
$\Rightarrow 6:7$

⑱ $1.44:6.48 \Rightarrow (1.44 \times 100):(6.48 \times 100)$
$\Rightarrow 144:648$
$\Rightarrow (144 \div 72):(648 \div 72)$
$\Rightarrow 2:9$

정답과 해설

4 일차 플러스 계산 연습 144~145쪽

1 8	**2** 8
3 6	**4** 12
5 3 : 8	**6** 9 : 7
7 5 : 6	**8** 2 : 11
9 11 : 4	**10** 8 : 13
11 4, 9	**12** 3, 5
13 8, 13	**14** 6, 11
15 3, 4	**16** 15, 4
17 27, 41	**18** 7, 13

15 $3.9 : 5.2 \Rightarrow (3.9 \times 10) : (5.2 \times 10)$
$\Rightarrow 39 : 52$
$\Rightarrow (39 \div 13) : (52 \div 13)$
$\Rightarrow 3 : 4$

16 $4.5 : 1.2 \Rightarrow (4.5 \times 10) : (1.2 \times 10)$
$\Rightarrow 45 : 12$
$\Rightarrow (45 \div 3) : (12 \div 3)$
$\Rightarrow 15 : 4$

17 $0.54 : 0.82 \Rightarrow (0.54 \times 100) : (0.82 \times 100)$
$\Rightarrow 54 : 82$
$\Rightarrow (54 \div 2) : (82 \div 2)$
$\Rightarrow 27 : 41$

18 $0.84 : 1.56 \Rightarrow (0.84 \times 100) : (1.56 \times 100)$
$\Rightarrow 84 : 156$
$\Rightarrow (84 \div 12) : (156 \div 12)$
$\Rightarrow 7 : 13$

⑨ $\frac{1}{8} : \frac{1}{12} \Rightarrow \left(\frac{1}{8} \times 24\right) : \left(\frac{1}{12} \times 24\right) \Rightarrow 3 : 2$

⑩ $\frac{3}{4} : \frac{5}{16} \Rightarrow \left(\frac{3}{4} \times 16\right) : \left(\frac{5}{16} \times 16\right) \Rightarrow 12 : 5$

⑪ $\frac{1}{6} : \frac{4}{9} \Rightarrow \left(\frac{1}{6} \times 18\right) : \left(\frac{4}{9} \times 18\right) \Rightarrow 3 : 8$

⑫ $\frac{6}{7} : \frac{3}{8} \Rightarrow \left(\frac{6}{7} \times 56\right) : \left(\frac{3}{8} \times 56\right)$
$\Rightarrow 48 : 21 \Rightarrow (48 \div 3) : (21 \div 3) \Rightarrow 16 : 7$

⑬ $\frac{7}{12} : \frac{5}{18} \Rightarrow \left(\frac{7}{12} \times 36\right) : \left(\frac{5}{18} \times 36\right) \Rightarrow 21 : 10$

⑭ $\frac{11}{30} : \frac{2}{45} \Rightarrow \left(\frac{11}{30} \times 90\right) : \left(\frac{2}{45} \times 90\right) \Rightarrow 33 : 4$

⑮ $1\frac{2}{3} : \frac{3}{4} \Rightarrow \frac{5}{3} : \frac{3}{4} \Rightarrow \left(\frac{5}{3} \times 12\right) : \left(\frac{3}{4} \times 12\right)$
$\Rightarrow 20 : 9$

⑯ $4\frac{1}{6} : \frac{9}{10} \Rightarrow \frac{25}{6} : \frac{9}{10}$
$\Rightarrow \left(\frac{25}{6} \times 30\right) : \left(\frac{9}{10} \times 30\right) \Rightarrow 125 : 27$

⑰ $1\frac{1}{4} : \frac{1}{4} \Rightarrow \frac{5}{4} : \frac{1}{4} \Rightarrow \left(\frac{5}{4} \times 4\right) : \left(\frac{1}{4} \times 4\right) \Rightarrow 5 : 1$

⑱ $2\frac{2}{5} : \frac{11}{15} \Rightarrow \frac{12}{5} : \frac{11}{15}$
$\Rightarrow \left(\frac{12}{5} \times 15\right) : \left(\frac{11}{15} \times 15\right) \Rightarrow 36 : 11$

⑲ $1\frac{3}{4} : 1\frac{1}{2} \Rightarrow \frac{7}{4} : \frac{3}{2} \Rightarrow \left(\frac{7}{4} \times 4\right) : \left(\frac{3}{2} \times 4\right) \Rightarrow 7 : 6$

⑳ $1\frac{2}{5} : 1\frac{3}{4} \Rightarrow \frac{7}{5} : \frac{7}{4} \Rightarrow \left(\frac{7}{5} \times 20\right) : \left(\frac{7}{4} \times 20\right)$
$\Rightarrow 28 : 35 \Rightarrow (28 \div 7) : (35 \div 7) \Rightarrow 4 : 5$

5 일차 기초 계산 연습 146~147쪽

❶ 28, 24	❷ 24, 8
❸ 15, 10	❹ 36, 32
❺ 28, 8	❻ 30, 18
❼ 24, 20	❽ 12, 9
❾ 24, 3, 2	❿ 16, 12, 5
⓫ 3, 8	⓬ 16, 7
⓭ 21, 10	⓮ 33, 4
⓯ 20, 9	⓰ 125, 27
⓱ 5, 1	⓲ 36, 11
⓳ 7, 6	⓴ 4, 5

5 일차 플러스 계산 연습 148~149쪽

1 3	**2** 9
3 25	**4** 2
5 28 : 15	**6** 5 : 6
7 44 : 27	**8** 16 : 9
9 3 : 26	**10** 57 : 44
11 8, 9	**12** 8, 5
13 15, 4	**14** 21, 10
15 2, 3	**16** 15, 8
17 75, 52	**18** 35, 78

24

15 $\dfrac{1}{2}:\dfrac{3}{4}$ → $\left(\dfrac{1}{2}\times 4\right):\left(\dfrac{3}{4}\times 4\right)$

→ $2:3$

16 $\dfrac{5}{6}:\dfrac{4}{9}$ → $\left(\dfrac{5}{6}\times 18\right):\left(\dfrac{4}{9}\times 18\right)$

→ $15:8$

17 $3\dfrac{1}{8}:2\dfrac{1}{6}$ → $\dfrac{25}{8}:\dfrac{13}{6}$

→ $\left(\dfrac{25}{8}\times 24\right):\left(\dfrac{13}{6}\times 24\right)$

→ $75:52$

18 $\dfrac{7}{12}:1\dfrac{3}{10}$ → $\dfrac{7}{12}:\dfrac{13}{10}$

→ $\left(\dfrac{7}{12}\times 60\right):\left(\dfrac{13}{10}\times 60\right)$

→ $35:78$

---

6 일차 **기초 계산 연습** 150~151쪽

① 4, 14 ② 21, 12
③ 5, 4 ④ 3, 2
⑤ $3:5=9:15$(또는 $9:15=3:5$)
⑥ $2:5=8:20$(또는 $8:20=2:5$)
⑦ $6:16=15:40$(또는 $15:40=6:16$)
⑧ $3:4=6:8$(또는 $6:8=3:4$)
⑨ 9, 12 ⑩ 36, 24
⑪ 21, 35 ⑫ 42, 36
⑬ 63, 49 ⑭ 39, 24
⑮ 14, 2, 49 ⑯ 45, 9, 20
⑰ 25, 5, 65 ⑱ 15, 14, 42
⑲ 99, 6, 54 ⑳ 27, 8, 72

---

6 일차 **플러스 계산 연습** 152~153쪽

1 $8:9=24:27$ **2** $5:6=20:24$
3 $7:15=14:30$ **4** $4:7=16:28$
5 $9:11=36:44$
6 5, 66 ; 11, 30 **7** 7, 12 ; 3, 28
8 6, 78 ; 13, 36 **9** 8, 45 ; 15, 24
10 ○ **11** ×
12 ○ **13** ×
14 ○ **15** ○
16 17 **17** 21
18 9 **19** 48

---

7 일차 **기초 계산 연습** 154~155쪽

① 25, 75 ; 15, 75 ② 21, 42 ; 6, 42
③ 36, 36 ; 20, 36 ④ 44, 286 ; 26, 286
⑤ 32, 32, ○ ⑥ 84, 84, ○
⑦ 48, 72, × ⑧ 135, 135, ○
⑨ 480, 480, ○ ⑩ 45, 48, ×
⑪ 252, 252, ○ ⑫ 360, 360, ○
⑬ 96, 98, × ⑭ 270, 270, ○

---

7 일차 **플러스 계산 연습** 156~157쪽

1 ㉡ **2** ㉠
3 ㉡ **4** ㉢
5 ○ **6** ×
7 ○ **8** ×
9 × **10** ○
11 $5:9=20:36$(또는 $20:36=5:9$)
12 $3:2=6:4$(또는 $6:4=3:2$)
13 $7:2=28:8$(또는 $28:8=7:2$)
14 $4:3=16:12$(또는 $16:12=4:3$)
15 42 **16** 84
17 210 **18** 144

17 $\blacksquare\times\blacktriangle=6\times 35=210$

18 $8\times 18=\blacksquare\times\blacktriangle=144$

---

8 일차 **기초 계산 연습** 158~159쪽

① 60, 60, 15 ② 98, 98, 14
③ 132, 132, 44 ④ 80, 80, 5
⑤ 468, 468, 78 ⑥ 504, 504, 8
⑦ 75 ⑧ 45
⑨ 12 ⑩ 10
⑪ 18 ⑫ 15
⑬ 4 ⑭ 2
⑮ 8 ⑯ 54
⑰ 5 ⑱ 3

⑬ ★×45=9×20, ★×45=180, ★=4

⑭ ★×63=9×14, ★×63=126, ★=2

⑮ ★×20=5×32, ★×20=160, ★=8

⑯ ★×5=30×9, ★×5=270, ★=54

⑰ ★×24=4×30, ★×24=120, ★=5

⑱ ★×15=5×9, ★×15=45, ★=3

⑬ 7×20=■×35, ■×35=140, ■=4

⑭ 6×78=■×36, ■×36=468, ■=13

⑮ 3×28=■×21, ■×21=84, ■=4

⑯ 4×44=■×16, ■×16=176, ■=11

⑰ 13×40=■×65, ■×65=520, ■=8

⑱ 5×21=■×35, ■×35=105, ■=3

---

8 일차 플러스 계산 연습 160~161쪽

1 48	**2** 20
3 0.6	**4** 15
5 5, 20	**6** 7, 35
7 6, 42	**8** 2, 12
9 7, 14	**10** 7, 21
11 32, 24	**12** 54, 96
13 8, 32	**14** 12, 87
15 9, 6	**16** 8, 10
17 25	**18** 42

1 7×□=8×42, 7×□=336, □=48

2 14×□=5×56, 14×□=280, □=20

3 □×91=1.3×42, □×91=54.6, □=0.6

4 □×48=9$\frac{3}{5}$×75, □×48=720, □=15

---

9 일차 플러스 계산 연습 164~165쪽

1 35	**2** 28
3 1.5	**4** 13
5 4, 28	**6** 5, 45
7 6, 36	**8** 4, 16
9 8, 24	**10** 9, 72
11 20	**12** 49
13 9	**14** 5
15 24, 54	**16** 21, 56
17 20	**18** 35

1 5×21=3×□, 3×□=105, □=35

2 7×48=12×□, 12×□=336, □=28

3 0.8×90=□×48, □×48=72, □=1.5

4 15$\frac{1}{2}$×52=□×62, □×62=806, □=13

---

9 일차 기초 계산 연습 162~163쪽

❶ 252, 252, 63	❷ 168, 168, 24
❸ 210, 210, 42	❹ 252, 252, 6
❺ 160, 160, 5	❻ 54, 54, 9
❼ 18	❽ 54
❾ 80	❿ 24
⑪ 45	⑫ 12
⑬ 4	⑭ 13
⑮ 4	⑯ 11
⑰ 8	⑱ 3

---

10 일차 기초 계산 연습 166~167쪽

❶ 15, 4, 20	❷ 20, 2, 2, 8
❸ 45, 5, 5, 25	❹ 32, 3, 3, 12
❺ 36, 3, 3, 27	❻ 56, 5, 5, 40
❼ 14, 4	❽ 4, 20
❾ 20, 30	❿ 5, 15
⑪ 57, 38	⑫ 65, 26
⑬ 20, 35	⑭ 25, 40
⑮ 39, 33	⑯ 52, 32
⑰ 48, 60	⑱ 64, 56

⑦ $18 \times \dfrac{7}{7+2} = 18 \times \dfrac{7}{9} = 14$,

　$18 \times \dfrac{2}{7+2} = 18 \times \dfrac{2}{9} = 4$

⑧ $24 \times \dfrac{1}{1+5} = 24 \times \dfrac{1}{6} = 4$,

　$24 \times \dfrac{5}{1+5} = 24 \times \dfrac{5}{6} = 20$

⑨ $50 \times \dfrac{2}{2+3} = 50 \times \dfrac{2}{5} = 20$,

　$50 \times \dfrac{3}{2+3} = 50 \times \dfrac{3}{5} = 30$

⑩ $20 \times \dfrac{1}{1+3} = 20 \times \dfrac{1}{4} = 5$,

　$20 \times \dfrac{3}{1+3} = 20 \times \dfrac{3}{4} = 15$

⑪ $95 \times \dfrac{3}{3+2} = 95 \times \dfrac{3}{5} = 57$,

　$95 \times \dfrac{2}{3+2} = 95 \times \dfrac{2}{5} = 38$

⑫ $91 \times \dfrac{5}{5+2} = 91 \times \dfrac{5}{7} = 65$,

　$91 \times \dfrac{2}{5+2} = 91 \times \dfrac{2}{7} = 26$

⑬ $55 \times \dfrac{4}{4+7} = 55 \times \dfrac{4}{11} = 20$,

　$55 \times \dfrac{7}{4+7} = 55 \times \dfrac{7}{11} = 35$

⑭ $65 \times \dfrac{5}{5+8} = 65 \times \dfrac{5}{13} = 25$,

　$65 \times \dfrac{8}{5+8} = 65 \times \dfrac{8}{13} = 40$

⑮ $72 \times \dfrac{13}{13+11} = 72 \times \dfrac{13}{24} = 39$,

　$72 \times \dfrac{11}{13+11} = 72 \times \dfrac{11}{24} = 33$

⑯ $84 \times \dfrac{13}{13+8} = 84 \times \dfrac{13}{21} = 52$,

　$84 \times \dfrac{8}{13+8} = 84 \times \dfrac{8}{21} = 32$

⑰ $108 \times \dfrac{4}{4+5} = 108 \times \dfrac{4}{9} = 48$,

　$108 \times \dfrac{5}{4+5} = 108 \times \dfrac{5}{9} = 60$

⑱ $120 \times \dfrac{8}{8+7} = 120 \times \dfrac{8}{15} = 64$,

　$120 \times \dfrac{7}{8+7} = 120 \times \dfrac{7}{15} = 56$

10 일차　플러스 계산 연습　168~169쪽

1 24, 5, 30　　**2** 32, 3, 48

3 2400, 3, 1800　　**4** 3500, 8, 4000

5 18, 63　　**6** 28, 32

7 84, 60　　**8** 91, 77

9 32, 24　　**10** 42, 28

11 14, 49　　**12** 49, 35

13 4, 52　　**14** 4, 24

15 5600, $\dfrac{3}{8}$, 2100　　**16** 6400, $\dfrac{9}{16}$, 3600

5 $81 \times \dfrac{2}{9} = 18$, $81 \times \dfrac{7}{9} = 63$

6 $60 \times \dfrac{7}{15} = 28$, $60 \times \dfrac{8}{15} = 32$

7 $144 \times \dfrac{7}{12} = 84$, $144 \times \dfrac{5}{12} = 60$

8 $168 \times \dfrac{13}{24} = 91$, $168 \times \dfrac{11}{24} = 77$

9 $56 \times \dfrac{4}{7} = 32$(개), $56 \times \dfrac{3}{7} = 24$(개)

10 $70 \times \dfrac{3}{5} = 42$(개), $70 \times \dfrac{2}{5} = 28$(개)

11 $63 \times \dfrac{2}{9} = 14$(개), $63 \times \dfrac{7}{9} = 49$(개)

12 $84 \times \dfrac{7}{12} = 49$(개), $84 \times \dfrac{5}{12} = 35$(개)

11 일차　기초 계산 연습　170~171쪽

❶ 52　　❷ 70

❸ 66　　❹ 91

❺ 42　　❻ 42

❼ 66　　❽ 85

❾ 88　　❿ 50

⓫ 207　　⓬ 100

⓭ 52　　⓮ 85

⓯ 56　　⓰ 102

⓱ 161　　⓲ 138

정답과 해설

정답과 해설

11 일차 플러스 계산 연습 172~173쪽

1 81	**2** 75
3 120	**4** 72
5 46	**6** 78
7 114	**8** 56
9 105	**10** 63
11 95	**12** 138
13 152	**14** 56
15 105	**16** 99
17 49	**18** 42
19 48	**20** 65

평가 SPEED 연산력 TEST 174~175쪽

❶ 28	❷ 9
❸ 54	❹ 12
❺ 16	❻ 8
❼ 3 : 5	❽ 17 : 13
❾ 4 : 15	❿ 21 : 8
⓫ 3 : 7	⓬ 5 : 3
⓭ 56	⓮ 56
⓯ 4	⓰ 27
⓱ 13	⓲ 12
⓳ 16, 28	⓴ 36, 27
㉑ 66, 30	㉒ 48, 30
㉓ 56, 72	㉔ 27, 90

❼ $54 : 90 \Rightarrow (54 \div 18) : (90 \div 18) \Rightarrow 3 : 5$

❽ $51 : 39 \Rightarrow (51 \div 3) : (39 \div 3) \Rightarrow 17 : 13$

❾ $\dfrac{2}{9} : \dfrac{5}{6} \Rightarrow \left(\dfrac{2}{9} \times 18\right) : \left(\dfrac{5}{6} \times 18\right) \Rightarrow 4 : 15$

❿ $\dfrac{7}{20} : \dfrac{2}{15} \Rightarrow \left(\dfrac{7}{20} \times 60\right) : \left(\dfrac{2}{15} \times 60\right) \Rightarrow 21 : 8$

⓫ $2.4 : 5.6 \Rightarrow (2.4 \times 10) : (5.6 \times 10)$
$\Rightarrow 24 : 56$
$\Rightarrow (24 \div 8) : (56 \div 8)$
$\Rightarrow 3 : 7$

⓬ $3.25 : 1.95 \Rightarrow (3.25 \times 100) : (1.95 \times 100)$
$\Rightarrow 325 : 195$
$\Rightarrow (325 \div 65) : (195 \div 65)$
$\Rightarrow 5 : 3$

특강 문장제 문제 도전하기 176~177쪽

1 3, 5 ; 3, 5	**2** 9, 2 ; 9, 2
3 4, 39 ; 4, 39	**4** 16, 9
5 6, 5	**6** 15, 4

1 $24 : 40 \Rightarrow (24 \div 8) : (40 \div 8) \Rightarrow 3 : 5$

2 $5.4 : 1.2 \Rightarrow (5.4 \times 10) : (1.2 \times 10) \Rightarrow 54 : 12$
$\Rightarrow (54 \div 6) : (12 \div 6) \Rightarrow 9 : 2$

3 $\dfrac{2}{9} : 2\dfrac{1}{6} \Rightarrow \dfrac{2}{9} : \dfrac{13}{6}$
$\Rightarrow \left(\dfrac{2}{9} \times 18\right) : \left(\dfrac{13}{6} \times 18\right)$
$\Rightarrow 4 : 39$

4 $96 : 54 \Rightarrow (96 \div 6) : (54 \div 6)$
$\Rightarrow 16 : 9$

5 $1.2 : 1 \Rightarrow (1.2 \times 10) : (1 \times 10)$
$\Rightarrow 12 : 10$
$\Rightarrow (12 \div 2) : (10 \div 2)$
$\Rightarrow 6 : 5$

6 $\dfrac{5}{8} : \dfrac{1}{6} \Rightarrow \left(\dfrac{5}{8} \times 24\right) : \left(\dfrac{1}{6} \times 24\right)$
$\Rightarrow 15 : 4$

특강 창의·융합·코딩·도전하기 178~179쪽

창의 **1**	12, 150 ; 12, 150, 600 ; 48
융합 **2**	32, 40
코딩 **3**	480 ; 180

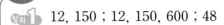

융합**2** 소용: $72 \times \dfrac{4}{4+5} = 32$(포기)

종철: $72 \times \dfrac{5}{4+5} = 40$(포기)

코딩**3** $C = 480 \times \dfrac{3}{3+5} = 180$

✻ 개념 ◯✕ 퀴즈 정답